Brian und Valerie Proudley · Koniferen in Landschaft und Garten

Brian und Valerie Proudley

KONIFEREN
in Landschaft und Garten

VERLAG J. NEUMANN-NEUDAMM
MELSUNGEN · BERLIN · BASEL · WIEN

Der Titel der englischen Ausgabe lautet:
Blandford Colour Series
Garden Conifers in Colour
by Brian and Valerie Proudley
© Blandford Press Ltd. 1976
ISBN 0-7137-0807-7

Die Übertragung in die deutsche Sprache besorgten
Dr. Hildegard Gessner und Dr. Eva-Maria Stange

CIP-Kurztitelaufnahme der Deutschen Bibliothek
Proudley, Brian
Koniferen in Landschaft und Garten / Brian u. Valerie Proudley.
— 1. Aufl. — Melsungen, Berlin, Basel, Wien: Neumann-Neudamm,
1978.
Einheitssacht.: Garden conifers in colour ⟨dt.⟩
ISBN 3-7888-0271-5
NE: Proudley, Valerie:

INHALT

ÜBER KONIFEREN IM ALLGEMEINEN

Nadelgehölze oder Koniferen zählen zu den häufigsten Bäumen der gemäßigten Zonen unserer Erde. Wir nennen sie entweder Nadelgehölze nach ihrer nadelförmigen Belaubung, obwohl viele Arten anstelle der Nadeln schuppenartige Blätter und in manchen Fällen noch andersartige Belaubung tragen, oder wir lassen sie Koniferen heißen nach den Zapfen (lat. conus), die sie ausbilden (lat. ferre).

Die Zapfen ermöglichen eine nähere Bestimmung der Pflanzen. Doch entwickeln nicht alle Koniferen Zapfen. Die Samen des Wacholders stecken in einem beerenartigen Gebilde, das sich aus enggeschlossenen Schuppen zusammensetzt. Die Eibe hat einen harten nußähnlichen Samen, der von einer fleischigen Hülle umschlossen wird.

In alten Zeiten wurden die Koniferen von Gärtnern als Balsamgewächse bezeichnet, denn viele Koniferen enthalten in ihren Knospen, Stämmen oder Blättern ein klebriges Harz. Auch diese Eigenschaft wird in Bestimmungsbüchern als Erkennungsmerkmal verwendet. Dies ist aber ebenfalls nicht eindeutig, da auch mitunter Vertreter anderer Pflanzengruppen Harze enthalten und umgekehrt nicht alle Koniferen Harz produzieren.

Das erste Buch, in dem Koniferen genauer beschrieben wurden, hatte den Titel: De Arboris Coniferi. Der Naturforscher Pierre Belon (sechzehntes Jahrhundert) verfaßte es in lateinischer Sprache. Als er Koniferen beschrieb, hatte er die häufigsten Vertreter dieser Gruppe vor Augen, die fast alle sowohl zapfentragend als auch harzhaltig sind. Diese Bäume wuchsen in seinem französischen Heimatland oder in nahegelegenen Ländern und galten über Jahre hinaus als die einzigen Koniferen überhaupt. Seitdem haben die Botaniker der Gruppe eine große Zahl anderer Pflanzen zugeordnet, die wichtige Merkmale gemeinsam haben. Für eine wild wachsende Konifere sind folgende Merkmale charakteristisch: Regelmäßige Verzweigung, nur ein Hauptstamm und eine aufrechte Pyramidenform. Bei vielen Arten fallen im Alter die unteren Zweige ab. Die Bäume zeigen dann nur noch an ihrer Spitze ein lebhaftes Wachstum. Bei einigen Arten von mehr buschförmigem Wuchs entspringen mehrere Stämme einer gemeinsamen Basis. In Bezug auf das Größenwachstum variieren die Koniferen zwischen dem winzigen *Dacrydium laxifolium,* von den Neuseeländern Pygmäenkiefer genannt (bereits zapfentragend, wenn die Länge noch in Zentimetern angegeben werden kann), und dem mächtigen kalifornischen Mammutbaum, *Sequoia sempervirens,* der für sich den Ruhm in Anspruch nehmen kann, der höchste Baum der Welt zu sein. Eine andere nahe verwandte Konifere ist der Riesenmammutbaum, *Sequoiadendron giganteum,* der höchstwahrscheinlich das imposanteste und langlebigste Lebewesen auf diesem Planeten überhaupt ist. Der wirtschaftliche Wert des Koniferen- oder Weichholzes (eine unrichtige Bezeichnung, da viele Koniferen extrem hartes Holz besitzen) ist enorm. In der Bauindustrie und Möbelfabrikation sowie bei der Papierherstellung werden jährlich große Mengen davon verbraucht. Das durch Destillation des Koniferenharzes gewonnene Terpentin hat in früheren Zeiten eine wichtige Rolle bei der Herstellung von Farben und Lacken gespielt. Obwohl es heute größtenteils durch synthetische Produkte ersetzt wird, findet es bei der Herstellung bestimmter Lacke und Arzeneien immer noch Verwendung.

ÜBER DIESES BUCH UND ÜBER
GARTENKONIFEREN IM BESONDEREN

So faszinierend die verschiedensten Tatsachen im Hinblick auf diese Gruppe auch sein mögen, soll es doch Aufgabe dieses Buches sein, sich in erster Linie mit den Gartenkoniferen zu befassen, die ursprünglich aus Wildformen entwickelt wurden. Im ersten Kapitel werden ihre Einordnung im botanischen System und Fragen der Namengebung (Nomenklatur) behandelt.

Das zweite Kapitel befaßt sich mit der Verwendung der Koniferen in Gärten. Ein Teil der hier gegebenen Ratschläge basiert auf den zuerst in dem Werk „Ornamental Gardening" von Papworth (veröffentlicht in London 1823) niedergelegten Ideen. In diesem Buch wird der Gärtner aufgefordert, sich den Garten als eine große leere Leinwand vorzustellen, an der der Künstler sein Werk noch nicht begonnen hat. In jedem Garten ist die richtige Bepflanzung der Schlüssel zum Erfolg. Ist das Werk vollendet, gleicht es, wenn die Pflanzen allmählich zu voller Größe heranwachsen, immer mehr einem vollendeten Gemälde. Denken Sie daran, dem Garten ein Gesicht zu geben, ihn so zu bepflanzen, daß zu jeder Jahreszeit ein Blickfang für den Beschauer vorhanden ist, ganz gleich ob gerade Hochsommer oder tiefster Winter herrscht. Obwohl jedes Gartengelände in Bodenbeschaffenheit, Lage und Größe verschieden ist, gibt es unter den Pflanzen eine solche Mannigfaltigkeit an Varianten und Formen, daß es nicht schwer sein sollte, im Garten zu allen Jahreszeiten etwas Reizvolles zu bieten.

Hat man sich erst einmal entschieden, wo die Koniferen gepflanzt werden sollen, gilt es als nächstes herauszufinden, wie sie zu pflanzen sind. Das wird das Thema des folgenden Kapitels sein. Dabei stellen wir fest, daß nährstoffarmer Boden kein Problem darstellt und daß es sogar viele Koniferen gibt, die auch in kreidigem Boden gedeihen. Wir empfehlen stets eine sorgfältige Vorbereitung des Bodens. Da Koniferen schließlich für lange Zeit am gleichen Standort bleiben sollen, ist dies äußerst wichtig.

Forstfacharbeiter scheinen dieses Problem mit einer gewissen Lässigkeit zu handhaben. Trotzdem gehen die von diesen Experten gepflanzten Jungpflanzen selten ein. Im Gegenteil. Mit einem offensichtlichen Minimum an Pflege wachsen sie zu prachtvollen Waldbäumen heran. Haben Sie schon einmal einem Waldarbeiter bei der Arbeit zugeschaut? Er hebt mit dem Spaten eine Erdscholle an einer Seite an, entnimmt dem Sack, den er über der Schulter trägt, ein Pflänzchen, schiebt es in den Erdspalt und vollendet sein Werk mit einem Tritt seines schweren Stiefels.

Im allgemeinen beanspruchen Gartenkoniferen mehr Pflege. Da sie eigentlich so gut wie immer größer als das Pflanzgut der Forstverwaltung sind und daher sehr viel mehr kosten, ist das Risiko einer finanziellen Einbuße größer, wenn sie eingehen.

Gartenkoniferen von guter Qualität können, wenn man sie in einer Baumschule kauft, recht teuer sein. Das sollte aber niemanden abschrecken, denn der Geldbetrag ist gering, wenn man bedenkt, für wieviele Jahre die Pflanzen Freude bringen. Kluge Kunden begegnen Billigangeboten mit Mißtrauen, denn der Preis entspricht nun einmal der Güte der Ware und sogenannte gute Gelegenheiten sind oft eine Enttäuschung. Was die Kosten betrifft, sollte man auch bedenken, daß die Pflanzen viele Jahre erfahrener Pflege bedurften, ehe der Baumschulgärtner sie in den Handel geben kann.

Unser Kapitel Vermehrung befaßt sich mit der Aufzucht junger Pflanzen aus Stecklingen, Absenkern, Pfropfreisern und Samen; Methoden, die weltweit in Baumschulen praktiziert werden. Wir leben jetzt, was Haus und Garten betrifft, im Do-it-yourself-Zeitalter. Warum sollte man nicht auch zusätzliche Pflanzen selbst heranziehen? Wenn erst einmal ein gewisser Grundstock erworben wurde, warum sollte dann ein eifriger Hobbygärtner nicht fähig sein, seinen Bestand tatkräftig zu vermehren?

Nur wenige Pflanzen sind absolut frei von Krankheiten und Schädlingen, darin machen auch Koniferen keine Ausnahme. Zum Glück scheinen die Gartenformen weniger an-

fällig zu sein als stark überalterte Bäume, die man manchmal sieht. Doch es zahlt sich aus, wenn man darauf ein
wachsames Auge hat und die ersten Anzeichen erkennt, die
Störungen anzeigen, so daß gleich eingegriffen werden
kann.

Abbildungen als Bestimmungshilfe

Es ist eine bekannte Tatsache, daß ein Bild mehr sagt als
tausend Worte. Und wenn wir alle die Bilder dieses Buches
durch Worte ersetzen wollten, würde es bestimmt sehr um-
fangreich werden. Das Farbfoto einer lebenden, oft noch
dazu in ihrer natürlichen Umgebung aufgenommenen Pflanze gibt einen viel besseren Eindruck von ihrem Erscheinungsbild und mitunter auch von ihren Verwendungsmöglichkeiten, als das gedruckte Wort es vermag. Wir waren
deshalb bemüht, eine breite Auswahl an Exemplaren als
Beispiele an unterschiedlichen Standorten und in verschiedenen Altersstadien zu zeigen. Der Liebhabergärtner
kann sich so eine bessere Vorstellung davon machen, wie
sein Garten ungefähr aussehen wird, wenn er seine Pflan-
zenauswahl getroffen hat. Für die Aufnahmen wurde in den
allermeisten Fällen ein Mikro-Nikkor-Zoom-Objektiv mit
55 mm Brennweite benutzt, das sowohl bei Nahaufnahmen
wie bei Einstellung auf unendlich verwendbar war. Ein
kleines elektronisches Blitzgerät war bei Gegenlichtaufnah-
men wie bei trübem Wetter sehr willkommen. In einigen
Bildern ergab sich eine leichte Verstärkung des silbernen
Farbtons, wenn das Blitzgerät benutzt werden mußte, um
die Schatten aufzuhellen, wie z. B. in Abbildung 17. Das
war aber nicht der Fall bei den Abbildungen der sehr farbigen Blaufichten; letztere wurden bei Tageslicht aufgenommen. Zu unserer Ausrüstung gehören noch eine große weiße Pappe, die auf der lichtabgewandten Seite von Zwergformen das Licht reflektieren soll, und — weil die Verleger
unbedingt scharfe Aufnahmen haben wollen — ein robustes
Stativ. Unseres ist mehrfach ausziehbar und erreicht voll
ausgezogen eine Länge von über 3 m. Es ist aus Leichtme-

tall. Wir wagen nicht daran zu denken, wie es zu nutzen
wäre, wenn es sich um eine schwere Stahlausführung han-
delte.

Auswahl und Anordnung der Beschreibungen

Bei der Auswahl der in diesem Buch vorgestellten Koniferen
wurden Kataloge von 27 Baumschulen aus 10 verschiedenen
Ländern, in denen Koniferen kultiviert werden, zu Rate
gezogen. So ergab sich eine weitgespannte Übersicht über
das Pflanzenmaterial, das dem Liebhaber von Nadelgehöl-
zen für seinen Garten unter ganz bestimmten Bedingungen
empfohlen werden kann.

Nun ist es vielen, auch größeren und größten Gartenbaube-
trieben nicht möglich, selbst von einer Art oder Gruppe der
in diesem Buch vorgestellten Koniferen alle Formen in Kultur zu haben. Klimafaktoren setzen da ebenso wie wirtschaftliche Gegebenheiten eine Grenze. Die Besorgung ein-
zelner Arten oder Sorten wird deshalb mitunter auf Schwierigkeiten stoßen. Gerade deswegen hat dieses Buch mit seinen mehr als 500 Pflanzenbeschreibungen besondere Bedeutung für den Gartenfreund. Gibt es ihm doch die Möglichkeit, sich anhand der aufgezeigten Vielfalt existierender Arten und Sorten diejenigen herauszusuchen, die seinen Vor-
stellungen am nächsten kommen, denen er die notwendigen
Voraussetzungen für ihr Gedeihen bieten kann und die für
ihn beschaffbar sind.

Die hier beschriebenen Koniferen sind in Ordnungen zusammengefaßt worden und innerhalb dieser Ordnungen
werden die jeweiligen Familien, Gattungen, Arten und Sorten in alphabetischer Reihenfolge aufgeführt. Diese Anordnung soll dazu dienen, die Verwandtschaft der Pflanzen
untereinander etwas deutlicher werden zu lassen, als wenn
sie in der üblichen alphabetischen Reihenfolge aufgeführt
worden wären. Um eine gewünschte Pflanze zu finden,
schlage man im Index S. 247 nach.

ERKLÄRUNG EINIGER FACHAUSDRÜCKE

adult = ausgewachsen

adulte Blätter
oder Nadeln = Altersblätter (-nadeln)

Apicalknospe = Spitzenknospe

Apicaltrieb = Spitzentrieb

Arillus = fleischiger Samenmantel

atavistisch = Wiedererscheinen der Eigenschaften von entfernten Vorfahren, bzw. Rückfall in urtümliche Zustände.

Cultivar = Kulturvarietät; kultivierte Pflanzen, die sich auf Grund irgendwelcher Merkmale auszeichnen, die bei der Fortpflanzung erhalten bleiben. Niedrigste taxonomische Einheit der Kulturpflanzen, der Sorte gleichzusetzen.

diözisch = zweihäusig (männliche und weibliche Blüten stehen auf getrennten Pflanzen).

Flachzweige = die Zweige letzter Ordnung stehen in einer Ebene.

Hybride = Bastard (das Ergebnis einer Kreuzung)

immergrün = Bezeichnung für Pflanzen, deren Blätter über mehrere Jahre erhalten bleiben.

intermediär = dazwischenliegend

juvenil = jugendlich

juvenile Blätter
oder Nadeln = Jugendblätter (-nadeln)

Kladodien = blattartige Langtriebe

Klon = ein Bestand von Individuen, der ursprünglich aus einer einzigen Pflanze durch vegetative Vermehrung hervorgegangen ist.

laubabwerfend	=	sommergrün; Bezeichnung für Pflanzen, deren Blätter periodisch im Herbst abgeworfen werden.
monözisch	=	einhäusig (männliche und weibliche Blüten befinden sich auf ein und derselben Pflanze)
mulchen	=	den Gartenboden mit einer organischen Isolierschicht bedecken.
Nadel	=	ein schmales, einnerviges Blatt wird häufig als Nadel bezeichnet.
radial	=	allseits abstehend
semi-	=	bedeutet in einer Wortzusammensetzung halb.
Sorte	=	siehe Cultivar
Spezies	=	Art
Sport	=	Knospenmutation, Ausgangsmaterial für eine neue Sorte.
Synonym	=	abgekürzt: syn.; ungültiger lateinischer Pflanzenname
Typus	=	das Gepräge einer Pflanze; charakteristische Pflanzen, bei denen die Merkmale der Sippe (z. B. Art) am besten ausgeprägt sind, repräsentieren den Typus.
ubiquistisch	=	überall verbreitet

DIE BENENNUNG DER KONIFEREN

Die Botaniker ordnen die Koniferen nach dem sogenannten natürlichen System, wobei der Bau der Blüte und andere charakteristische Merkmale eine Rolle spielen. Wir wollen uns noch einmal vergegenwärtigen, nach welchen Gesichtspunkten die Botaniker ihr System aufgebaut haben. Die wichtigste Rolle spielt dabei die Anordnung der Fortpflanzungsorgane.

Die Blütenpflanzen werden zwei Gruppen — Unterabteilungen genannt — zugeordnet:

1. Angiospermen (Bedecktsamige) — bei denen die Samen von einem Fruchtknoten umschlossen werden.

2. Gymnospermen (Nacktsamige) — bei denen die Samen offensichtlich nackt an den Fruchtblättern der weiblichen Blütenstände sitzen. Sie werden in mehrere Ordnungen unterteilt, von denen uns drei näher interessieren. Dies sind die Ginkgoales (Ginkgobäume), Taxales (Eiben) und Coniferales (Nadelbäume). Für gärtnerische Belange laufen alle gemeinsam unter der Bezeichnung Koniferen.

Bei den Koniferen sind männliche und weibliche Blüten stets getrennt. Bei den meisten Gattungen stehen sie zwar an separaten Blütenstielen aber zusammen auf ein und demselben Zweig. In solchem Fall spricht man von einhäusigen (monözischen) Pflanzen. Zweihäusig (diözisch) sind Pflanzen, auf denen sich nur Blütenstände eines Geschlechts befinden. Zu letzteren gehören Ginkgo, Araukarie und Eibe.

Die Gymnospermen oder Nacktsamer unterscheiden sich von anderen Blütenpflanzen dadurch, daß die noch nicht befruchtete weibliche Samenanlage offen (nackt) auf der Fruchtschuppe liegt und nicht in einem Ovar oder Fruchtknoten eingeschlossen ist. Wenn die Befruchtung durch Windbestäubung erfolgt ist, schließen sich die Schuppen des Koniferenzapfens und bleiben bis zur Reife (oder sogar noch über diese Zeit hinaus) geschlossen. Das kann je nach Art 6 Monate oder ein, zwei oder noch mehr Jahre dauern.

Bei trockenem Wetter öffnen sich die ausgereiften Zapfen, so daß die geflügelten Samen durch den Wind verbreitet werden können *(Pinus)*. Oder die Schuppen mit den anhaftenden Samen fallen ab, so daß nur noch die Zapfenspindel als „Tannenkerze" aufrecht am Zweig stehen bleibt *(Abies)*. Bei der Eibe werden die „Beeren" von Vögeln verzehrt. Der harte Samen passiert unversehrt den Verdauungstrakt und wird vom Vogel an andere Stellen verbracht, wo er auskeimen kann.

Sehr viele Koniferen sind immergrün und nur wenige laubabwerfend. Ihr Laub ist klein. Die Blätter können nadel- und schuppenförmig sein, wie bei Kiefern und Fichten, oder bei Zypressen und *Thuja* eckige, abgeplattete, überlappende, dem Stengel anliegende Schuppen bilden. Die ledrigen Blätter der Araucarie bleiben zehn und mehr Jahre am Baum, die von Eibe und Fichte ungefähr fünf, während die der Kiefern drei bis fünfzehn Jahre alt werden, ehe die Pflanze sie abwirft. Die Sumpfzypresse gehört zu den laubabwerfenden Koniferen und verliert jeden Herbst sowohl die Belaubung wie auch die kleinen Seiten- und Endtriebe, an denen die Blätter stehen. Die Blätter einer aus Samen aufgezogenen Konifere sehen zunächst anders aus als die am erwachsenen Baum. Eine Pflanze durchläuft mehrere Stadien, ehe die endgültige Blattform zu erkennen ist. Nach der Keimung — die Zahl der Keimblätter kann je nach Art 2 bis 15 betragen — erscheint die juvenile Beblätterung, die allmählich durch die normale oder adulte Beblätterung ersetzt wird. Einige Arten verbleiben in einem Zwischenstadium, in dem beide Formen der Belaubung gleichzeitig vorhanden sind. Bei einzelnen Gartenformen kann es vorkommen, daß sie ihre juvenilen Blätter behalten und überhaupt keine adulten Blätter mehr ausbilden, auch wenn sie bereits Jahre alt sind.

Pflanzennamen und das binäre System von Linné

Die ersten Botaniker hatten Pflanzennamen, die aus einem oder auch mehreren Worten bestehen konnten und eine

Kurzbeschreibung der Pflanze darstellten. Dies war, gelinde gesagt, umständlich und die allgemeine Anerkennung eines Namens war unter anderem von der persönlichen Reputation des Autors abhängig. Dem bedeutenden schwedischen Naturforscher Carl von Linné (auch unter dem Namen Linnaeus bekannt) verdanken wir das binäre System der Namengebung, das wir noch heute verwenden. Er war nicht der erste, der zwei Worte für einen Pflanzennamen benutzte, aber er führte dieses System als Standardverfahren ein, die Beweisführung für seine Anwendbarkeit der Nachwelt überlassend. Sein Werk wurde für so maßgebend erachtet, daß Pflanzennamen aus der Zeit vor 1753 (dem Erscheinungsjahr seiner Erstausgabe von Species Plantarum) keine Gültigkeit haben, es sei denn, Linné selbst oder ein Autor späteren Datums hätten ihn in dieses Werk aufgenommen. Schon immer war Latein die internationale Sprache der Naturwissenschaften und sie wird auch heute noch für Neubeschreibungen in botanischen Veröffentlichungen verwendet. Wie für die Artnamen wird das Latein auch für Gattungsnamen und andere Gruppenbezeichnungen des Pflanzenreichs benutzt.

Lateinische Namen von Koniferen und anderen Pflanzen

Der wissenschaftliche Name für unsere gewöhnliche Waldkiefer lautet *Pinus sylvestris*. Die nähere Betrachtung dieser beiden Worte verrät uns, wie der korrekte systematische Name für eine spezielle Pflanzenart zustande kommt. Der für dieses Beispiel herangezogene Name ist ein Artname. Unter „Art" (species) versteht man im allgemeinen eine Gruppe von Individuen, die sich untereinander äußerlich gleichen und die — wenn aus Samen gezogen — alle mit ihren Eltern praktisch identisch sind und von Generation zu Generation die gleichen Artmerkmale aufweisen. Arten ihrerseits sind in übergeordneten Gruppen zusammengefaßt, die man Gattungen (genus, Mehrzahl = genera) nennt. Mitglieder einer Gattung haben viele gemeinsame Merkmale, unterscheiden sich aber in einigen Punkten voneinander. Der nächste Schritt aufwärts im botanischen System führt zu den Pflanzenfamilien. Diese fassen Gattungen zusammen und sind lose miteinander verbunden. Aber es gibt wiederum Gemeinsamkeiten, die deutlich genug sind, um solche Familiengruppen voneinander zu trennen.

Doch zurück zu *Pinus sylvestris:* Der Gattungsname *Pinus* ist allen Kiefernarten eigen, das Wort *sylvestris* dagegen bezeichnet diese einzige Art. Mit anderen Worten: es gibt viele Kiefern, aber nur eine Art heißt in dem von uns benutzten binären System *Pinus sylvestris.*

Wer kann eine Art benennen?

Angenommen in Japan möchte jemand eine neue, der Wissenschaft bis dahin nicht bekannte Pflanzenart beschreiben oder ein dänischer Botaniker kommt nach intensiven Studien zu der Überzeugung, daß eine Pflanzenart einer falschen Gattung zugeordnet wurde. Was tun sie, um andere Forscher in der übrigen Welt über den Stand ihrer Forschungen zu informieren? Um die Zusammenarbeit aller Nationen an einem Standardsystem der Namengebung zu ermöglichen, wurde der Internationale Code der Botanischen Nomenklatur ins Leben gerufen. In der Theorie einfach (in der Praxis nicht immer), bemüht man sich um die Einhaltung einer Reihe von verbindlichen Regeln. Eine davon ist als „Prioritätsregel" bekannt und bestimmt, daß die früheste Kombination zweier Namen Gültigkeit hat; es sei denn, ein Teil des Namens würde auf Grund neuerer Forschungsergebnisse geändert.

Um einen derartigen Namen verbindlich einzuführen, muß der Autor (als solcher wird er bezeichnet) eine in lateinischer Sprache verfaßte, datierte Beschreibung der Art, die er dem systematischen Wissen nach für neu erachtet, in einem anerkannten botanischen Publikationsorgan veröffentlichen. Wurde die Pflanze schon früher beschrieben, muß er beweisen, daß ihm die Einzelheiten sowie die Quelle der Originalbeschreibung des Art-Typus, den er einer Revision unterziehen möchte, genau bekannt sind.

Heutzutage werden nur noch wenige neue Pflanzen entdeckt. Oft aber — wie hypothetisch angenommen bei der Entscheidung unseres dänischen Systematikers — wurden Pflanzen zunächst erst einmal einer falschen Gattung zugeordnet.

Wenn sich so etwas herausstellt, gibt es zwei Möglichkeiten. Entweder kann die Art einer anderen, bereits vorhandenen Gattung zugeordnet werden, oder aber (wenn die Pflanze sehr ausgeprägte Unterschiede aufweist) es wird eine neue Gattung aufgestellt, der dann zuweilen noch andere ähnliche Arten zugeordnet werden. Erinnern Sie sich noch, was wir vorher über den Artnamen sagten? Der Artname gehört zu der Pflanze, ganz gleich, welcher Gattung sie zugeteilt wird. Ausnahmen werden nur gemacht, um Doppelbenennungen zu vermeiden.

Ohne triftige Gründe werden Namen nicht geändert. Bevor dem entsprechenden Ersuchen eines Botanikers stattgegeben wird, sind gründliche Untersuchungen durchzuführen. Wenn solche Namensänderungen Pflanzen betreffen, die in Gärten angepflanzt werden, müssen sie zudem noch von Pflanzenzüchtern und schließlich noch von den Gärtnern selbst akzeptiert werden. Kurzum, jeder, der sich an die allgemein anerkannten Regeln hält, kann eine Pflanze benennen. In der Praxis allerdings sind es die Pflanzenforscher, die so etwas tun. Bei den Koniferen haben sich infolge solcher Änderungen eine große Anzahl von Synonymen (abgekürzt syn., auf deutsch Nebenname) ergeben. Mehrfach hat sich herausgestellt, daß ein jahrelang in Gebrauch befindlicher Name durch die Entdeckung eines älteren ungültig wurde. Da nun immer der ältere Name als der allein gültige gilt, mußte der bis dahin verwendete abgeändert werden. Gärtner sind über solche Änderungen nicht immer entzückt und deshalb erscheinen veraltete Namen gelegentlich immer noch in Baumschulkatalogen. In Büchern finden sich solche Namen oft Seite an Seite mit dem gegenwärtigen Namen, jedoch mit der Bezeichnung syn. davor, die aussagt, daß es sich um einen früher gebrauchten Namen handelt.

Unterarten, Varietäten und Formen

Zwar ist die Art die Basiseinheit, auf der sich das botanische System aufbaut, doch wird auch diese noch unterteilt. Manche Pflanzen lassen sich nicht ohne weiteres in diese Kategorie einfügen. Als wir zuvor von Arten sprachen, hätten wir die Behauptung aufstellen können, daß die Nachkommenschaft jeder Art mit ihren Eltern identisch ist. Normalerweise ist das der Fall. Da aber jeder Sämling ein einzelnes Wesen ist, das aus der Vereinigung zweier verschiedener Geschlechter entstanden ist, können kleinere genetische Änderungen stattfinden und so die Ursache sein, daß ein Mitglied der Gruppe (wenn auch noch so geringfügig) von den anderen Artgenossen abweicht. In den meisten Fällen sind diese Abweichungen gar nicht wahrnehmbar, aber eine geraume Zeit später kann die Pflanze, in der die Änderung stattfand, eine Gruppe von Nachkommen hervorbringen, die ihr selbst gleichen. Die Fähigkeit, niedrige Temperaturen zu ertragen, kann die Lebensfähigkeit einer Pflanze erhöhen. Dergleichen mag sich über längere Zeiträume hinweg ereignet haben, wo eine Art ein sehr großes Verbreitungsgebiet hatte und verschiedene Unterarten oder geographische Rassen die Stelle der ursprünglichen Art (des Typus, nach dem sie genannt wurde) eingenommen hat. Wenn diese im gleichen Areal wie der Typus wachsen, können sie sich ungehindert miteinander kreuzen und intermediäre Formen, sogenannte interspezifische Hybriden, hervorbringen, die die Merkmale beider Elternteile tragen. Systematiker stellten früher die Varietät (abgekürzt var.; vom lateinischen varietas) mit der Subspezies oder Unterart gleich. Heute bedeutet „Unterart" eine gesonderte geographische Rasse und var. wird benutzt, um eine Abweichung vom Typus zu bezeichnen, deren einzelne Glieder mit den anderen vermischt in einem großen Teil ihres Verbreitungsgebietes vorkommen können. Obwohl beide sichtlich zur gleichen Art gehören, können sie ein deutlich zu unterscheidendes Aussehen haben, wenn man sie am gleichen Standort wachsend antrifft. Schwieriger zu klassifizieren ist bei den Koniferen der Begriff „Form" (auch aus dem Lateinischen übernommen; forma, abgekürzt f.) „Form" verwendet man, wenn man eine Wildpflanze beschreibt, die im Bereich des Typus wächst und an der irgend eine Änderung auffällig ist. Das kann z. B. niederliegender Wuchs sein, wenn sonst aufrechtes Wachstum die übliche Wuchsform ist. Einige haben grau oder bläulich bereifte Blätter, wenn sonst grüne Blätter die Norm sind. Wenn man solche Abweichungen weiterzüchtet, können sowohl Varietäten wie Formen zu neuen Kulturformen für den Gartenbau werden. Der Begriff Kulturvarietät bzw. Sorte oder der dafür verwandte internationale Fachausdruck Cultivar (abgekürzt cv.) stammt aus neuerer Zeit und wird an anderer Stelle erklärt.

Hybriden

Werden zwei nahe miteinander verwandte Arten gekreuzt, nennt man die daraus resultierenden Nachkommen Hybriden. Zwischenartliche Hybriden kommen sowohl bei Wild- wie auch bei Kulturformen gelegentlich vor, allerdings recht selten. Eine zweite Form von Hybriden erhält man bei einer Kreuzung zwischen Elternpflanzen verschiedener Gattungen. Derartige Gattungsbastarde sind außerordentlich selten, obwohl einzelne ihrer Abkömmlinge allgemein bekannt sind. Hybriden zwischen *Cupressus macrocarpa* und *Chamaecyparis nootkatensis,* bekannt als × *Cupressocyparis leylandii,* gehören in diese Gruppe. Jeder Sämling ist ein separater Klon, das heißt, von ihm können in einer ununterbrochenen Reihe identische Pflanzen weitergezogen werden, wenn man vegetativ vermehrt. Vom gärtnerischen Standpunkt aus gesehen sind diese Hybriden besonders wertvoll, da sie Eigenschaften beider Eltern in sich vereinen und ihre Verwendungsmöglichkeit vielseitig ist. Im vorliegenden Fall lieferte ein Elternteil Schnellwüchsigkeit und die Fähigkeit, an trockenen Standorten zu gedeihen, der andere Elternteil lieferte dichte Belaubung, Winterhärte und eine Vorliebe für schwere Böden. Alle diese Eigenschaften zusammen er-

21

gaben eine der besten Pflanzen für Hecken und zur Abschirmung, die wir haben.

Gartenkoniferen

Eine Gartenkonifere kann entweder eine Art, Unterart, Varietät, Form oder auch eine Hybride sein. In der Mehrzahl sind es jedoch Kulturvarietäten. Der Fachausdruck Kulturvarietät entspricht dem Begriff Sorte, für beides wird auch der internationale Fachausdruck Cultivar (abgekürzt cv.) verwendet, der sich von cultivated variety ableitet.

Diese Begriffe bezeichnen eine Gruppe von Pflanzen, die auf Grund ganz bestimmter Eigenschaften ausgewählt wurden, und die bei der Kultur stabil bleiben. Sie können von wild vorkommenden Pflanzen abstammen (bei manchen ist das der Fall), aber viel öfter stammen sie aus Baumschulen oder von Gartenanlagen. Von diesen sind einige erstmalig als Mutanten aufgetreten mit genetisch bedingter Wuchsformänderung: manche von ihnen sind winzig, wenn Großwüchsigkeit normal ist oder kriechend anstelle des aufrechten Wuchses oder haben hängende Zweige anstatt aufrechter. Gelegentlich trägt ein Trieb weißliche oder gelbe Belaubung zusammen mit der üblichen grünen. Wenn man diesen nun durch Stecklinge oder Pfropfungen vermehrt (bei Koniferen niemals durch Samen), können sie die Abweichungen beibehalten und zu nützlichen Gartenobjekten werden. Sämlinge in der Natur, deren Wachstumsart oder Farbe vom Typus abweichen, oder unterschiedlich geartete Sämlinge bestehender Sorten, die immer wieder in Anzuchtbeeten auftreten, bilden ebenfalls eine Quelle für neues Material.

Sortennamen

Gärtner übernehmen die botanische Klassifikation und fügen dem Artnamen den Namen der Sorte hinzu. Nehmen wir als Beispiel *Thuja occidentalis* 'Rheingold'. Wie schon erwähnt, wird dabei der zweiteilige lateinische Name der Art, der die Pflanze angehört, in schrägen Buchstaben gedruckt. Der Sortenname 'Rheingold' beginnt mit einem Großbuchstaben, wird in Normalschrift gedruckt und in einfache Anführungsstriche eingeschlossen. Man kann vor die Sortennamen auch die Buchstaben cv. (für cultivar) setzen, dann sind die Anführungsstriche jedoch entbehrlich. Seit 1959 muß ein Sortenname ein Phantasiename sein, d. h. es darf kein Name in lateinischer Form gegeben werden. Der Vorteil dieser Schreibweise ist, daß der Unterschied auf den ersten Blick klar zu erkennen ist. Wer prägt nun die Namen der neuen Gartenpflanzen? Sofern einer eine Pflanze für wertvoll genug erachtet, kann jeder, der sie vermehrt hat, eine neue Pflanze benennen, muß aber dabei eine andere als die lateinische Sprache verwenden. Letztere bleibt den Arten und ihren Beschreibungen vorbehalten. Oft wird die englische Sprache gewählt, es kann aber jede Sprache verwendet werden, die in Antiqua gedruckt werden kann. Wie bei der Namengebung der Arten sind auch hier Nomenklaturregeln zu befolgen. Lateinisch war früher, bevor die neuen Bestimmungen eingeführt wurden, für die oft beschreibenden Phantasienamen der Koniferen sehr in Mode. Namen wie alpinus, nana, pygmaea usw. werden, wenn sie einmal gegeben wurden, immer noch benutzt. Sie werden aber in Antiqua Lettern mit großem Anfangsbuchstaben gedruckt und in einfache Anführungsstriche eingeschlossen.

Klone

Das Wort Klon hängt eng mit dem Begriff Sorte zusammen, denn viele der von Menschen geschaffenen Gartenpflanzen sind Klone. Dieses Wort wird benutzt, um eine fortlaufende Reihe identischer Pflanzen zu beschreiben, die alle von einer einzigen Ursprungspflanze stammen und somit jede ein Teil der Mutterpflanze, d. h. identisch mit ihr, sind, ganz gleich, ob diese ein Sämling, ein mutierter Zweig oder eine Knospenmutante ist. In den wenigen Fällen, wo eine Gartenpflanze mehr als einen Klon einschließt, faßt der Name eine Gruppe sehr ähnlicher Pflanzen zusammen, die oft von einer Wild-Varietät abstammen, wie z. B. *Cedrus atlantica* var. *glauca* (Blaue Atlaszeder).

Der Wert, für Namen und Neubeschreibungen die lateinische Sprache zu benutzen und ein einheitliches Verfahren zu haben, ist offenkundig, wenn man bedenkt, daß Pflanzenforschung und Pflanzenzucht international sind und das seit mehreren hundert Jahren.

Was nun die Gartenpflanzen betrifft, haben wir keinen Grund, etlichen Pflanzenzüchtern früherer Zeit dankbar zu sein, denn in vielen Fällen haben sie uns eine Erbschaft pseudobotanischer Namen hinterlassen, von denen manche für das Gedächtnis geradezu eine Zumutung sind. Für einen gewieften Gärtner ist das schon schwierig genug, aber der Anfänger kann einem geradezu leid tun, wenn er mit einer winzigen Topfpflanze konfrontiert wird, deren Namensschild dreimal so groß ist wie sie selbst und auf dem zu lesen ist: *Chameacyparis pisifera* 'Plumosa Aurea Compacta'.

KONIFEREN IM GARTEN

Schon allein die Tatsache, daß die meisten Koniferen immergrün sind, stellt diese an die Spitze der Liste begehrenswerter Gartenpflanzen. Jede Anpflanzung, in die sie einbezogen werden, vermittelt den Eindruck der Unvergänglichkeit. Das kann man mit laubabwerfenden Formen allein nie erreichen. Auch in Gärten, in denen die Hauptwirkung durch die oft viel farbenfreudigeren einjährigen Blumen sowie durch Rosen und Sträucher erzielt wird, werden die Koniferen als Hintergrundkulisse der Anlage geschätzt und vervollständigen somit den Gesamteindruck. Ein gut angelegter Garten soll ja die gleichen Eigenschaften wie ein gutes Bild haben: Farbe, Perspektive, Mittelpunkt und nicht zuletzt auch einen guten Rahmen. Auch harmonische Übergänge sind wichtig, und das erzielt man nur durch wohlüberlegte Auswahl und Anordnung der Pflanzen. Die hier beschriebenen Koniferen können — allein angepflanzt oder in Gemeinschaft mit anderen Pflanzen — alle dazu beitragen, daß ein Garten entsteht, der tatsächlich „bildschön" ist. Während uns dieses Ziel vor Augen schwebt, wollen wir die einzelnen Punkte der Reihe nach besprechen.

Farbe ist etwas, das jeder Garten braucht. Es scheint Leute zu geben, die der irrigen Ansicht sind, daß Koniferen schlicht irgendwie etwas Grünes sind. Der Grund für diese Einstellung beruht ohne Zweifel auf der Erinnerung an alte staubige Exemplare in Städten oder auf Friedhöfen. Dies wird noch dazu durch die Tatsache untermauert, daß die Mehrzahl der Koniferen immergrün ist. Als immergrün werden Pflanzen bezeichnet, die ihre Belaubung länger als eine Vegetationsperiode behalten, deshalb sind sie aber noch lange nicht immer grün. Natürlich gibt es viele, bei denen Grün die vorherrschende Farbe ist, aber das dafür in jeder nur erdenklichen Farbschattierung, und nur bei wenigen kann man dieses Grün als langweilig bezeichnen. Bei den meisten Arten gibt es weißlichgraue und „blaue" Formen, andere wieder sind gelb, golden, kupferfarben oder entwickeln bei niedrigen Temperaturen einen dunkleren Farbton.

Andere sind im Frühjahr am reizvollsten, wenn der Mai-wuchs erscheint und sein helles Grün einen leuchtenden Kontrast zu der älteren Belaubung bildet. Auch bei den grün-blättrigen Formen gibt es oft Mehrfarbigkeit, wo Teile der Zweige gelb und golden gesprenkelt sind. Es können sogar größere Teile der Belaubung frei von farbstoffbildenden Elementen sein und fast weiß aussehen; wenn man so will — eine Mißbildung der Natur, aber dennoch reizvoll.

Laubabwerfende Bäume haben ihre schönste Zeit zum Ende der Vegetationsperiode, wenn die Blätter ihre Herbstfärbung annehmen, ehe sie bei Eintritt des Winters schließlich abgeworfen werden. Beim Ginkgo ist dies ein Wechsel vom Grün zum reinen Gelb, andere wieder werden leuchtend golden oder auch rotbraun. Bei wieder anderen (dazu gehören speziell die größeren Immergrünen) hat jedes Blatt eine teilweise silbern gefärbte Unterseite, was besonders auffällig wird, wenn die Zweige von einem leichten Wind bewegt werden.

Daran sieht man, daß Farbe durchaus vorhanden ist und man nur die richtige Wahl treffen muß, um farbige Akzente zu setzen. Viele Koniferen haben auch reizvolle Rinde. Allerdings müssen die Bäume nahezu erwachsen sein, bevor diese Farbwirkung hervortritt. Wie dekorativ Kiefern sein können, wird jeder wissen, der so glücklich ist, bereits das eine oder andere dieser Exemplare sein Eigen zu nennen. Sogar unsere Waldkiefer ist wegen ihrer leuchtend orange gefärbten Rindenpartien sehr beliebt. Die Wellingtonia oder der Riesenmammutbaum hat rötlich-orange gefärbte Borke bis zu einer geradezu unglaubwürdigen Dicke von 60 cm am erwachsenen Baum.

Der Rahmen für den Garten

Ein fertiges Bild braucht einen Rahmen, so auch der Garten. Anders als bei einem Gemälde wird aber beim Garten der Rahmen — sei es Hecke oder Sichtschutz — oft als erstes angelegt, um den jungen Pflanzen, die später der Hauptbestandteil des Bildes sein sollen, Schutz zu gewähren. Der

Zweck der Hecke ist zweifach: 1. Umgrenzung und Windschutz, 2. Sichtschutz, sowohl um die Gartenbewohner vor allzu neugierigen Blicken von außen zu schützen, als auch um ihnen den Anblick häßlicher Gebäude zu ersparen. Koniferen, die für bestimmte Zwecke vorgesehen sind, müssen nach ganz bestimmten Gesichtspunkten ausgewählt werden. Der wichtigste ist dabei die endgültige Größe der erwachsenen Pflanze in bezug auf die sie umgebenden anderen Gartengewächse. Das ist bei der Auswahl von Heckenpflanzen besonders wichtig. Die Hybride × *Cupressocyparis leylandii* ist ideal, wenn rasches Wachstum und eine dichte Abschirmung gewünscht werden; jedoch ist eine endgültige Höhe von 3—4 m das Minimum, bei dem man die Hecke halten kann. Wird eine geringere Höhe gewünscht, eignen sich Sorten von *Chameacyparis lawsoniana, Ch. pisifera, Taxus* oder *Thuja* besser. Falls man besonders großwüchsige Formen braucht, um den Garten vor stürmischen Winden zu schützen, sind auch noch andere Faktoren in Betracht zu ziehen. Klima, Bodenbeschaffenheit und der für die Entfaltung der Pflanzen verfügbare Raum spielen bei der Auswahl eine Rolle. In milden, küstennahen Gebieten mit salzträchtigen Winden hat sich die ubiquistische, schnellwüchsige, nach ihrem Züchter genannte Lambertzypresse, *Cupressus macrocarpa* (syn. *C. lambertiana*), oder eine ihrer nahe verwandten Formen besonders bewährt. Junge Pflanzen sind nicht immer gleich in der Lage, den Elementen zu trotzen. Wenn man ihnen aber etwas zusätzlichen Schutz in Form von immergrünen Zweigen oder mit an Stöcken aufgespannten Jutesäcken gibt, werden sie schnell anwachsen und Verluste durch schlechte Witterung werden sich in Grenzen halten.

Auch unter den Kiefern gibt es einige, die dichte natürliche Schutzhecken bilden und es gibt Sorten für fast jede Bodenart und jeden Standort. Einige Kiefern gedeihen in kalten Gegenden gut. Auch die Gemeine Fichte fühlt sich dort wohl. Die geeignetsten Heckenpflanzen sind jedoch nicht die „Weihnachtsbäume", sondern ausgesuchte Forstsämlinge mit gut entwickeltem Faserwurzelsystem. Für Schutzhecken in besonders kaltem und unwirtlichem Klima sollte man *Chamaecyparis nootkatensis* aus Alaska in die engere Wahl nehmen oder ihren Hybridenabkömmling × *Cupressocyparis leylandii*. *Tsuga heterophylla*, die Verschiedenblättrige Hemlockstanne, wächst besser auf kalkfreiem Boden. Auch sie bildet dichte, elegante Sichtschutzhecken und verträgt den Schnitt erstaunlich gut. *Thuja occidentalis* ist ebenfalls für Hecken in kalten Gegenden geeignet. Sie ist winterhärter als ihre andere nordamerikanische Verwandte, die Riesenthuja. Bei Hecken und Sichtblenden ist es besser, die Pflanzen in mehreren versetzten Reihen anzuordnen, damit sie schneller wirkungsvollen Schutz bieten.

Koniferen schützen gegen Wind und Sonne

Bei einer Fahrt durch Frankreich sahen wir einmal eine äußerst attraktive Gartenanlage, bei der Koniferen die Hauptrolle spielten. Das im Flachland gelegene Grundstück war offensichtlich sehr dem Wind preisgegeben und nichts hätte die Stürme von Natur aus daran hindern können, alles zu zerstören. Eine gemischte Anpflanzung aus einer gedrungenen Form der Österreichischen Schwarzkiefer und diversen Fichten umgab das Haus von drei Seiten, die vierte war mehr oder minder dem Zutritt der Sonne offengelassen. Auf der Außenseite der Windschutzhecke standen vorwiegend Zwergkiefern, von denen sich die Formen der blauen *Picea pungens* deutlich abhoben. Dicht am Haus sorgten Wacholder (aufrechte und liegende Formen) für Abwechslung in Form und Farben. Dazwischen hatte man außerdem Gruppen von leuchtend bunten, immergrünen Azaleen gesetzt, Frühjahrsblüher, die man nur in windgeschützten Gartenanlagen halten kann.

Der Windschutz ist aber nicht der einzige Klimaschutz, den Koniferen bieten können. In Gegenden mit besonders warmem Klima sind sie als Schattenspender sehr beliebt. Es gibt so manches „Traumhaus" in Spanien, das aus diesem Grunde unter Schirmföhren und anderen ähnlichen Bäumen steht. Hier findet man auch die dunklen Spindeln der von den englischen Autoren Italienische Zypresse genannten *Cupressus sempervirens* 'Stricta', die aus Mexiko stammt. Auch in anderen Gegenden mit warmem Klima dienen die Koniferen sowohl dem Schutz vor zu starker Sonneneinstrahlung als auch dem Schmuck des Gartens. In Australien stehen sie in dieser Hinsicht mit den Gummibäumen im Wettstreit. Auch in Kalifornien sieht man viele Koniferen.

Steingärten und Heidegärten

Besonders wirkungsvoll ist die Verwendung von Koniferen als Blickfang in einem Steingarten oder Heidebeet. Geeignete Pflanzen passen ausgezeichnet zu der übrigen Bepflanzung derartiger Standorte. Kein Heidegarten ist ohne eine Auswahl langsam wachsender Koniferen vollkommen. Sie bringen die notwendige Belebung in das Bild der flachen Heidepolster.

Als Kontrast sollte man nur aufrechte, langsam wachsende Formen wählen, es sei denn, man hätte die Möglichkeit, ausgesuchte Exemplare von Miniaturen zu bekommen. *Thuja* 'Rheingold', *Chamaecyparis* 'Boulevard', *Juniperus communis* 'Hibernica' sowie ähnliche Sorten kommen in Frage. Niederliegende oder sehr langsam wachsende Formen kommen im Steingarten oder einem eigenen Beet besser zur Wirkung, als wenn man sie mit Heide im Verband pflanzt, wo die Gefahr besteht, daß sie überwuchert werden. Der Heidegarten ist eins der wenigen Beispiele für die Wirksamkeit von Solitärpflanzen; sogar in großen Abständen gesetzte Koniferen wirken noch gut. Allgemein kann man jedoch sagen, daß Koniferen in größeren und kleineren Gruppen angepflanzt nicht nur besser aussehen, sondern daß sie miteinander vergesellschaftet auch besser zu gedeihen scheinen.

Für den Steingarten gibt es sowohl Sorten, die einzeln angepflanzt werden können, als auch solche, die sich zur Gruppenbepflanzung eignen. Wo es der Platz erlaubt, gibt es z. B. in einem Garten kaum etwas Reizvolleres als eine kleine Gruppe von *Juniperus communis* 'Compressa', jedes

Exemplar unterschiedlich hoch in Kies oder Geröll gepflanzt in Gesellschaft mit Kabschia-Saxifragen oder anderen aparten Pflanzen sowie kleinen Zwiebelgewächsen. Schön sind auch die leuchtend grünen Kegel von *Picea glauca* 'Conica' (sie schaut immer so adrett aus, als wäre sie gerade beschnitten worden). Als Gruppe gepflanzt, wirkt sie auffallender, als wenn man die Pflanzen über die Fläche des Gartens gleichmäßig verteilen würde. Man kann sie an eine Seite der Steinpackung setzen, aber möglichst zu ebener Erde, damit sie (wenn sie größer werden) das Auge nicht von der wesentlichen Steingartenansicht ablenken. Man sollte daher darauf achten, daß die Pflanzen von keiner Stelle aus gesehen wie in einer Reihe stehend wirken, denn der große Landschaftsgetalter Capability Brown sagte einmal ganz zutreffend: „Die Natur verabscheut eine gerade Linie". Man sollte auch der Versuchung widerstehen, eine aufrecht wachsende Form an die höchste Stelle des Steingartens zu pflanzen. Dort dürfte allenfalls noch der Platz für *Chamaecyparis lawsoniana* 'Ellwoodii' oder etwas ähnliches sein, mit denen die Höhe des Felsengartens betont werden kann. Eine weitaus natürlichere Wirkung läßt sich erzielen, wenn man die Natur nachzuahmen versucht. In einem ähnlichen Gelände in der freien Natur trifft man auf dem Gipfel nie aufrecht wachsende Formen an, diese suchen vielmehr in den Senken oder neben den Felsen Schutz. Wir erzielen einen natürlichen Effekt, wenn wir sie am Fuße der Felsbrocken anpflanzen und mit ihnen den Vordergrund gestalten. Weiter oben wirken die niederliegenden Formen echter, während die rundlichen Formen der Zwergkiefern dorthin gehören, wo sie für Höhe sorgen, ohne die Szene zu beherrschen.

Will man passende Begleitformen zu von Natur aus zwergigen Koniferen auswählen, sollte man beachten, daß sie — wenn erwachsen — möglichst in ihrer Größe zueinander passen. Winzige Alpenpflanzen und junge Heiden vermitteln, wenn sie mit alpinen Koniferen gepflanzt werden, zuerst oft einen falschen Eindruck. Es mag nicht lange dauern, bis die derben Alpenpflanzen und die kräftigen Heiden die kleinen Bäume im Kampf um den Lebensraum überwältigt haben. Am besten pflanzt man solche Kostbarkeiten, wenn sie voll zur Wirkung kommen sollen, in ein eigens für sie hergerichtetes Beet. Ihre mannigfaltigen Formen und Farben werden uns immer wieder Freude bereiten, während wir sie allmählich heranwachsen sehen. Diese Investition lohnt sich wirklich — sie ist eine der besten im Garten überhaupt. Denn einmal gepflanzt, beanspruchen sie ein Minimum an Pflege und werden von Jahr zu Jahr hübscher.

Man kann diese Pflanzen am Anfang ziemlich dicht setzen und dann mit der Zeit weiter auseinander pflanzen. Den Ortswechsel vertragen die meisten leichter, je regelmäßiger sie umgesetzt werden.

Bodendecker und Sockelbepflanzung

Heutzutage liest man eine Menge über Bodendecker und all die Vorteile der verringerten Gartenarbeit durch in Schach gehaltene Unkräuter. Vorausgesetzt, der Boden wurde gut vorbereitet und alle mehrjährigen Unkräuter sind beseitigt worden, dann lassen sich bestimmte Sorten mit großem Erfolg als Bodendecker verwenden. Von den niederliegenden Formen kommen *Juniperus horizontalis*-Sorten, *J. sabina* 'Tamariscifolia' und die niedrigen Formen von *J. communis* in Frage. Wo ein bißchen mehr Höhe keine Rolle spielt, kann man die schnell wachsenden Pfitzeriana-Wacholder wählen. Niedrig wachsende Eiben und deren Verwandte können den Platz der Wacholder einnehmen, wenn der zu bedeckende Boden im Schatten liegt. Für Bodendecker bietet sich auf Gräbern, die längere Zeit ohne Pflege auskommen müssen, eine weitere Verwendungsmöglichkeit. Dort sind allerdings nur die kleinsten Sorten zu gebrauchen.

Sockelbepflanzung nennen wir die Bepflanzung mit Sträuchern, deren Sinn und Zweck es ist, die Fundamente eines neu erbauten Hauses zu kaschieren. Anders als in Großbritannien, wo eine andere Bauweise praktiziert wird, liegt vielfach das Erdgeschoß in einiger Höhe über dem Erdboden. Um die Kahlheit der neuen Wände zu verstecken, braucht man schnell wachsende, dichte und buschige Sträucher. Die idealen Koniferen für diesen Zweck sind die vielen Sorten von *Juniperus* 'Pfitzeriana'. Wenn man diese Pflanzen sich selbst überläßt, können sie mit der Zeit sogar zu groß werden. Zum Glück macht ihnen das Zurückschneiden nichts aus. Man kann sogar, wenn nötig, ganze Zweige entfernen. Wenn man diese Arbeit in Angriff nimmt, sollten die Zweige angehoben und an einer Stelle abgeschnitten werden, die nicht sichtbar ist. Man überzeuge sich, daß keine Zweigstummel stehen geblieben sind, an denen sich jemand verletzen könnte, der im Dunkeln dicht daran vorbeigeht. Selbst dort, wo es nicht notwendig ist, Fundament zu verdecken, lassen sich Koniferen gut verwenden, um den kahlen Streifen um das Haus herum zu bepflanzen. Oft befindet sich direkt am Haus ein Streifen, der mit einjährigen Blumen bepflanzt wird. Die Wirkung ist manchmal zufriedenstellend, manchmal auch nicht. Würde man dieses Areal mit einer Auswahl langsam wachsender Koniferen bepflanzen, ließe sich dadurch nicht nur die alljährliche Neubepflanzung einsparen, es würde auch über das ganze Jahr hin gut aussehen. Weil wir gerade beim Haus sind, wäre auch noch zu erwähnen, daß es sehr beliebt ist, ein gleichartiges Paar schlankwüchsiger Koniferen zu pflanzen, um dem Haupteingang einen imposanten Rahmen zu geben. Die dunkelgrünen Säulen der Eibe *Taxus baccata* 'Fastigiata' sind für diesen Zweck wie geschaffen. Zuweilen nimmt man stattdessen auch zwei Exemplare der Lawson-Zypresse; die Sorte 'Fletscheri' wäre hier als durchaus glückliche Wahl zu bezeichnen. Sie braucht nicht beschnitten zu werden, um ihre Kegelform zu behalten. In den Niederlanden haben wir *Juniperus* 'Skyrocket' direkt an einer Hauswand wachsend gesehen. Die blaugrau belaubte, wie eine Kirchturmspitze gewachsene Pflanze reichte bis zur Traufe im ersten Stockwerk und bot einen angenehmen Kontrast zu dem gelben Ziegelmauerwerk.

Man sollte auch nicht vergessen, daß sich Koniferen recht gut in Kübeln ziehen lassen. Dafür eignen sich die kleineren Lawson-Sorten wie 'Ellwoodii' oder 'Ellwood's Gold' gut.

Thuja occidentalis 'Rheingold' und *Chamaecyparis pisifera* 'Boulevard' sind Sorten, die auf der Terrasse am Haus sehr gut aussehen.

Kübelgärten stehen auf jeden Fall am besten in Hausnähe. Abgesehen davon, daß sie dort stets unmittelbar bewundert werden können, sind sie auch leicht zu gießen, wenn es bei trockenem Wetter nötig ist. Wenn eine solche Schale wirklich gut eingerichtet aussehen soll, gehören ein oder zwei Koniferen hinein. Hierzu kann man nur Minigrößen gebrauchen und meist wird die Wahl auf den winzigen Wacholder *Juniperus communis* 'Compressa' fallen. Auch *Thuja plicata* 'Rogersii' mit der goldenen Belaubung sowie den orangefarbenen Spitzchen kann den engen Raum eines Blumenkübels über Jahre hinaus ertragen. Diese beiden und andere kleinwüchsige Sorten sind eine vorteilhafte Ergänzung für das Alpinenhaus und wirken schmückend, wenn Blumen im Spätsommer und Winter rar sind. Die im Freien leuchtend blaue Scheinzypresse 'Boulevard' gedeiht sogar hinter Glas noch besser und ist jahrelang mit einem Blumentopf zufrieden.

Man sollte die klein bleibenden Pflanzen aus der Nähe betrachten. Die Bezeichnung „lebende Kunstwerke" bleibt im allgemeinen den Bonsais vorbehalten, paßt aber genauso zu diesen kleinen Kostbarkeiten. Sollten sie doch einmal zu groß für ihren Standplatz werden — flugs ab mit ihnen in den Garten.

Koniferen zur Landschaftsgestaltung

Schon früher haben wir von der Ähnlichkeit zwischen einem gut angelegten Garten und einem guten Bild gesprochen.

Diese Parallele kann nun auf die Landschaftsgestaltung ausgedehnt werden. Der Landschaftsmaler hat drei Zonen zu beachten, wenn er sein Bild konzipiert. Dies sind: Vordergrund, Mitte und Hintergrund. Ein Landschaftsgestalter muß diese Punkte genauso berücksichtigen — nur mit einem Unterschied: Der Künstler hält seine Idealvorstellung auf der Leinwand fest (entweder nach der Natur oder in seiner Phantasievorstellung) und zwar von einem bestimmten Standort aus und zu einer ganz bestimmten Jahreszeit gesehen. Des Gärtners Aufgabe aber ist es, sich vorzustellen, wie alles in einer Reihe von Jahren einmal aussehen wird, wenn die Pflanzen allmählich heranwachsen — ein beachtlicher Unterschied. Doch das ist noch nicht alles. Der Künstler hält auf der Leinwand die aus einem bestimmten Blickwinkel betrachtete Landschaft fest. Der Gärtner muß dagegen etwas gestalten, das von mehreren Richtungen aus gesehen anziehend erscheinen soll. In dieser Hinsicht hat er eher etwas mit dem Bildhauer gemeinsam, der sein Kunstwerk so aufstellt, daß es von verschiedenen Seiten betrachtet werden kann und zur Wirkung kommt.

Wir sprachen bereits über Koniferen, die dem Garten einen „Rahmen" geben und gleichzeitig den von ihnen umschlossenen Pflanzen Schutz gewähren. Das Wort, in einer anderen Bedeutung gebraucht, führt uns zu einer weiteren Verwendungsmöglichkeit der Koniferen, der Einrahmung anderer Pflanzen. In England wird das als „foundation planting" bezeichnet. Ein geschickter Gärtner verwendet vertikal wachsende Koniferen im Vordergrund, um die dahinter liegenden Teile des Gartens einzurahmen.

In vergangenen Zeiten, als es noch weitläufigen Landbesitz in großzügiger Weise zu gestalten galt, wurden sehr großwüchsige Formen mit guter Wirkung angepflanzt, obwohl sie eigentlich erst jetzt in unserer Zeit im voll erwachsenen Zustand so aussehen, wie sie wohl dem Landschaftsgestalter damals vor Augen gestanden haben mögen. Auf die Rasenfläche nahe dem Haus pflanzte man anmutige Zedern, an den See Sumpfzypressen und ganz in den Hintergrund mächtige Mammutbäume. Auch wenn man heute nicht mehr oft in diesen Maßstäben planen kann, haben die gleichen Prinzipien doch noch ihre Gültigkeit. Setzen Sie ein paar immergrüne Bäume in den Vordergrund und betonen Sie die Tiefe des Grundstücks mit strategisch plazierten Exemplaren, die einen Blickfang für das Auge schaffen und Tiefenwirkung entstehen lassen. Letztere muß man sich ungefähr wie lebende Statuen vorstellen und dafür sollten nur die erlesensten Arten ausgesucht werden.

Bei der Auswahl der Exemplare ist es sehr wichtig, darauf zu achten, daß sie im Verhältnis zu den Objekten in ihrer näheren Umgebung nicht zu groß werden. Wird eine großwüchsige Pflanze gewünscht, muß auch eine entsprechend große Fläche zur Verfügung stehen. Selten werden die Menschen bei ihrer heutigen Planung an ihre Enkel denken. Sie möchten die Resultate ihres Entwurfes selbst noch sehen. Wer so denkt, würde nicht zögern, eine Zeder zu pflanzen. Sie würde uns viele Jahre erfreuen, würde aber schließlich für ihren Standort zu groß und müßte gefällt werden. Es wäre besser, von vornherein eine andere Wahl zu treffen, denn es tut weh, einem dieser edlen Bäume das Todesurteil sprechen zu müssen, ehe er noch seine volle Größe erlangt hat. Aber nicht alle Bäume, die ihrem Standort entwachsen sind, werden beseitigt. Haben wir nicht alle schon jenen Favoriten der Gärtner zur Zeit der Königin Viktoria gesehen, die *Araucaria araucana,* Haus und Garten gleichzeitig beherrschend? Besonders in Vorstadtvorgärten, wo es tausende gab, wirken sie völlig fehl am Platze. Die meisten sind jetzt verschwunden. Doch ab und zu entdeckt man noch ein alles überragendes hundertjähriges Exemplar. Wie erstaunt derjenige wohl sein würde, der einst den Blumentopf mit dem winzigen Pflänzchen nach Hause trug, wenn er sehen könnte, wie es sich inzwischen breitgemacht hat.

Gruppen als Hintergrund

Für die Gestaltung des Hintergrundes sind Koniferen, sofern sie mit dem übrigen Garten harmonieren, geradezu ideal. Doch man achte darauf, daß sie nicht zu groß und beherrschend werden. Die ganze Wirkung des Gartens kann leiden, wenn das Auge daran vorbei und zur Umzäunung hingezogen wird. Wenn man eine kleine Gruppe von Koniferen in entsprechendem Abstand vom Haus pflanzt, kann sie schon den Hintergrund für einen Blickfang, wie einen Steingarten oder ein Heidebeet, bilden. Das Auge des Beschauers wird zum Mittelpunkt hingeleitet.

An sorgsam ausgewählten Standorten gepflanzte Exemplare verbergen dem Auge andere Teile des Gartens und da man nicht alles gleich beim ersten Blick erfaßt, gibt dies das Gefühl des Geheimnisvollen. Das ist für den Beschauer wiederum reizvoll, denn er möchte gern wissen, wie es wohl auf „der anderen Seite" aussieht. Kommt man zu der Stelle, wo vorher die Sicht versperrt war, erschließt sich dem Betrachter ein völlig anderer Anblick.

Dies sind nur ein paar Ideen für das „Bild". Nun überlassen wir es dem Künstler, sein Werk auszuführen.

Hätte man die Möglichkeit, sich den Boden zu wählen, in dem alle Koniferen wachsen würden, müßte es ein schwach saurer, sandig-lehmiger, gut durchlässiger Boden sein. Zum Glück sind aber — von wenigen Ausnahmen abgesehen — Koniferen nicht anspruchsvoll und können in den unterschiedlichsten Böden gedeihen, sowohl in schweren (tonhaltigen) als auch in leichten (sandigen). Nur flache Kreideböden, die viel freien Kalk enthalten, bilden eine Ausnahme, und dennoch gibt es passende Arten, die sogar dort wachsen. Viele Wacholder scheinen sogar besser zu wachsen, wenn der Boden kalkhaltig ist. Sind Kiefern gefragt, nehme man *Pinus mugo, P. sylvestris, P. nigra* u. a. Auch *Taxus* sowie *Thuja* und ihre nahe Verwandte *Thujopsis* sind mit kalkhaltigem Boden zufrieden.

Wie man hieraus entnehmen kann, ist die Zahl der Arten zwar etwas eingeschränkt (einige weitere werden in der Aufstellung, die die Einzelbeschreibungen bringt, erwähnt), doch bleiben genug Variationsmöglichkeiten, um den durchschnittlichen Bedarf für Heckenpflanzungen, Sichtschutzhecken, Steingärten und winterblühende Heidegärten sowie auch an dekorativen Einzelstücken zu befriedigen. Mit Ausnahme der Sumpfzypresse, *Taxodium,* wünschen Koniferen keinen wirklich nassen Boden, in dem Wasser über längere Zeit stagniert. *Tsuga* spec. (die anmutige Hemlockstanne) *Metasequoia, Sciadopitys* und die meisten Fichten und Tannen gedeihen in einem feuchten Boden, sofern er gut durchlässig ist. In Gebieten mit starker Niederschlagsmenge und feuchtem Boden wählt der Forstmann die Sitkafichte, *Picea sitchensis,* und das sollten auch Gartenbesitzer tun, wenn sie eine schnellwüchsige Art wünschen.

Von den feuchten Standorten wenden wir uns nun dem anderen Extrem zu, dem trockenen, sandigen Boden. Dort werden so gut wie alle Kiefern gedeihen sowie auch Wacholder und Zypressen, denn diese Pflanzen vertragen allesamt trockene Böden recht gut.

Maßnahmen zur Bodenverbesserung

Für sämtliche Bodenarten sind reichliche Humusgaben in Form von Torf, Komposterde, gut verrottetem Stalldung oder Laubstreu sehr von Vorteil. Alle diese Stoffe dienen der Verbesserung des Bodens und machen ihn für die Bepflanzung geeigneter. Sehr feuchte Böden werden durch Humus aufgelockert, so daß sie leichter austrocknen können. Bei sehr trockenen Böden hat der Humus die umgekehrte Wirkung, er hilft die Feuchtigkeit im Boden zu halten. Alle Koniferen lieben humusreichen Boden, mögen es aber nicht, wenn zu viel Mineraldünger gegeben wird.

Soll zu feuchter Boden aufgelockert werden, hilft es auch, wenn man groben Sand in die oberste Bodenschicht einarbeitet. Bei sehr nassem Boden ist eine richtige Dränage die einzige Lösung des Problems. Nur wenige Koniferen vertragen es, mit ihren Wurzeln im Wasser zu stehen. Das gilt speziell für alle frisch gepflanzten. Unter derartigen Bedingungen kann nur die Sumpfzypresse, *Taxodium,* gedeihen. Obwohl sie auch in normalem Boden wächst, ist sie mitunter direkt mit ihrem Wurzelwerk im Wasser stehend zu sehen. Als Jungpflanzen können sie überschwemmtes Gelände nicht so gut vertragen wie als ältere Exemplare. Deshalb sollte man sie zuerst auf einen kleinen Erdhügel setzen, der immerhin so groß sein muß, daß die jungen Wurzeln nicht im Wasser stehen.

Koniferen aller Gruppen fordern einen hellen Standort. Sie sollten sich nicht im Konkurrenzbereich höherer Bäume befinden. Muß aber im Schatten gepflanzt werden, sind die grünen Formen von *Taxus* sowie seine Verwandten zu wählen, denn sie vertragen diese Standorte besser als die meisten anderen. Von den Wacholdern ist wohl *Juniperus* × *media* 'Pfitzeriana' die geeignetste Pflanze für schattige Standorte. Alle Formen mit bunter Belaubung wünschen volle Besonnung. Pflanzt man sie in den Schatten, wandelt sich ihre Buntheit in ein langweiliges blasses Grün. Bereits an lichtarmen, sonnenlosen Wintertagen beginnen diese goldenen Formen in grüne umzuschlagen. Erst wenn sie wieder volles

Licht erhalten, erlangen sie ihre alte leuchtende Farbe wieder.

Hecken als Sicht- und Windschutz oder Begrenzung

Das Vorbereiten des Bodens für die Bepflanzung sollte sehr sorgfältig geschehen. Diese Mühe zahlt sich aus, wenn man seine Koniferen Jahr für Jahr heranwachsen sieht. Für eine Hecke muß ein Graben ausgehoben und die Grabensohle mit einer Forke gelockert, aber nicht umgegraben werden. Darauf kommt eine Schicht Humus in Form von Kompost (Gartenkompost), gut verrottetem Mist, feuchtem Torf oder verrotteten Blättern. Daraufhin wird der Graben wieder mit der ausgehobenen Erde aufgefüllt.

Der Graben muß breiter sein als die geplante Hecke, damit die Wurzeln sich vor allem auch seitlich genügend ausbreiten können. Die Hecke bildet nämlich eine Art Baldachin, der fast genauso wirksam ist wie ein Regenschirm und den Regen nicht auf den Boden gelangen läßt. Deshalb neigt die unter den Zweigen gelegene geschützte Zone im Sommer oft dazu, staubtrocken zu werden (und das bei vielen Bodenarten). Nur ein weit ausgedehntes, gut ausgebildetes Wurzelsystem kann dann die Pflanzen mit genügend Wasser versorgen.

Der Pflanzenabstand hängt von der gewählten Sorte ab. In einer Reihe stehende Leyland-Zypressen können in Abständen von 1 m gesetzt werden. Viele Lawson-Scheinzypressen, *Thuja* und *Taxus* sollten enger stehen, in ungefährem Abstand von 80 cm. Wenn eine sehr starke Hecke gewünscht wird, empfiehlt es sich, bei entsprechendem Klima *Cupressus macrocarpa,* die meist in doppelter (versetzter) Reihe gepflanzt wird, mit 1 m Abstand pro Pflanze und 50 cm Zwischenraum zwischen beiden Reihen zu setzen. In geeignetem Boden werden diese in 3 bis 4 Jahren zu einer Hecke heranwachsen, die bei den schlimmsten Stürmen eine wirkungsvolle Barriere bildet.

Nicht nur an ihre Höhe, auch an genügend Raum für seitliches Wachstum sollte man bei der Anlage der Hecke den-

ken. Durch Beschneiden kann es allerdings bei der Heckenpflanze im Vergleich mit einem frei wachsenden Exemplar
beträchtlich reduziert werden. Auch braucht die Hecke viel
Licht, wenn sie bis unten hin belaubt sein soll.

Pflanzen Sie, wenn der Boden feucht aber nicht patschnaß
ist. Wenn die frisch gesetzten Koniferen während der ersten
Wochen im Wasser stehen müssen, besteht das Risiko eines
Totalverlustes. Das kann bei manchen Böden der Fall sein,
wenn die Zeit der Wachstumsruhe als Pflanzzeit gewählt
wird. Nach Möglichkeit sollte der Boden warm genug für
die Bildung neuer Wurzeln sein. Falls Boden oder Luft zu
trocken sind, werden die Pflanzen für leichtes Übersprühen
dankbar sein. Etwas Volldünger — ein paar Tage vor dem
Auspflanzen in die Bodenoberfläche eingearbeitet — wirkt
anregend auf die Wurzelbildung und läßt die Pflanzen
schneller Fuß fassen. Gedüngt werden sollte allerdings nur
sehr vorsichtig, denn es ist nicht erwünscht, eine zu starke
Laubentwicklung auf Kosten der Wurzelbildung anzuregen.
Dies gilt besonders für die ersten zwei Jahre.

Für die Neupflanzung von Hecken sind kleine Pflanzen
den größeren Exemplaren vorzuziehen. Ganz abgesehen
von den höheren Anschaffungskosten herangewachsener
Bäume ist bei den Jungpflanzen die Wahrscheinlichkeit größer, daß sie sich gleichmäßig entwickeln werden. Junge
Exemplare lassen sich leichter verpflanzen und holen ältere
Exemplare wahrscheinlich in nur wenigen Jahren ein.

Einzelne Bäume, besonders Flachwurzler wie die Leyland-
Zypressen und *Cupressus macrocarpa,* sollten, wenn sie für
Hecken verwendet werden, wenigstens in den ersten zwei
oder drei Jahren einen Pfahl oder einen Bambusstock als
Stütze bekommen. Er sollte gleich beim Pflanzen gesetzt
werden und kräftig genug sein, das Gewicht der Pflanze
auch bei starkem Wind zu halten. Man kann die neu gesetzten Pflanzen aber auch locker an einem starken Draht
befestigen, den man entlang der Hecke gezogen hat. Die
Bewegungen einer nicht gestützten Jungpflanze im Erdboden wirken sich sehr ungünstig auf das Anwurzeln aus.
Wenn man sicher ist, daß die Hecke ihr Wurzelsystem voll

entwickelt hat, können die Stützen entfernt bzw. die Befestigungen gelöst werden.

Das Vermindern der Augen beim Rückschnitt um ein Drittel des in einer Vegetationsperiode gebildeten Holzes regt das Buschigwerden der Hecke an. Das kann sehr früh im Jahr geschehen. Einen regelrechten Schnitt braucht die junge Hecke aber erst, wenn einzelne Pflanzen in die Höhe zu schießen beginnen. Von da an sollte man regelmäßig schneiden und zwar im Hochsommer, wenn das Wachstum sich bereits verlangsamt hat. Dazu kommt noch ein Säuberungsschnitt im Frühjahr.

Die günstigste Form besitzt eine Hecke, wenn sie an der Basis breit ist und sich nach oben hin verjüngt. Im Gegensatz zu einer Hecke mit senkrechten Seiten kann bei der Keilform das Licht jede einzelne Pflanze erreichen, wodurch besseres und gleichmäßigeres Wachstum erzielt wird. Wenn die Pflanzen dann in die Höhe zu schießen beginnen, ist es an der Zeit sich zu entscheiden, ob man eine Hecke haben will, die regelmäßigen Schnitt erfordert oder einen Sichtschutz.

Für einen Sicht- bzw. Windschutz werden die Koniferen, die als Hecke gepflanzt wurden, ausgelichtet, indem man jede zweite Pflanze entfernt. Die verbleibenden Pflanzen werden nicht zurückgeschnitten. Braucht man besonders starken Windschutz, sind mehrere Reihen versetzt zu pflanzen.

Solitärpflanzen

Koniferen, die in Rasenflächen einzeln stehen sollen, müssen in vorbereitete Pflanzgruben gebracht werden, die mindestens 1 m Durchmesser haben. Zuerst entferne man den Mutterboden und lege ihn beiseite. Der Untergrund muß gelockert werden, Felsbrocken und Steine sind zu entfernen. zuunterst kommt in das Pflanzloch humusbildendes Material in irgendeiner Form. Dann wird das Pflanzloch bis zur Pflanztiefe der Konifere angefüllt. Danach kommt das Gehölz in das Pflanzloch. Wenn nötig, werden auch vor dem Einsetzen des Baumes die Stützpfähle gesetzt. Nun wird um den Wurzelballen aufgefüllt und die Erde festgetreten. Die Pflanzscheibe um den Baum sollte in den ersten Jahren von Gras und Unkraut freigehalten werden, bis die Pflanze älter und wettbewerbsfähig wird. An nassen Standorten sollte der Boden leicht hügelförmig angeschüttet werden, damit das Wasser von der Oberfläche abfließen kann. Ist der Boden dagegen besonders trocken, hilft eine schüsselförmige Mulde rings um die Pflanze, die Feuchtigkeit zu halten.

Sehr günstig wirkt es sich auch aus, wenn der Boden rings um die Koniferen gemulcht wird. Das hilft, den Boden feucht und kühl zu halten und kann sogar dekorativ wirken. Man nimmt dafür eine dicke Schicht Torf, gesiebten Gartenkompost, vermoderte Blätter oder zerkleinerte Rinde. Wir haben sogar gesehen, daß Muschelschalen zu diesem Zweck verwendet wurden. Vor dem Mulchen muß der Boden vom Unkraut befreit werden.

Düngen oder nicht düngen

Die meisten Koniferen mögen eher leichten als zu nährstoffreichen Boden. Das soll aber nicht heißen, daß junge Pflanzen nicht auf Düngung mit stärkerem Wachstum reagieren oder daß überhaupt nicht gedüngt werden sollte. In den meisten Baumschulanlagen kann man Unmengen prächtig heranwachsender Koniferen aller Arten sehen, bei denen Düngung eine wichtige Rolle in ihrer Entwicklung gespielt hat. Der Boden wird oft einmal pro Jahr mit Stalldünger gedüngt, dem andere Düngemittel zugesetzt werden. Dazu nimmt man oft Fischmehl oder andere organische Stoffe. Dadurch soll sich ein günstiges Faserwurzelsystem bilden, eine Voraussetzung dafür, daß die Pflanze ohne Schwierigkeiten ausgegraben, versandt und oft hunderte von Kilometern entfernt neu eingepflanzt werden kann. Auf armen Böden ist die Wurzelbildung in Stammnähe nur spärlich. Auf der Suche nach Nährstoffen bilden sich einzelne lange und harte Wurzeln. Bei der Gartenpflanze regt etwas zusätzlicher Nährstoff in Form von Blutmehl, Hornspänen, Fisch- oder Knochenmehl die Wurzelbildung schlagartig an, und das Laub bekommt eine kräftigere Farbe. Diese Art von Düngung sollte man im Frühling vornehmen, ehe das Wachstum beginnt. Das Düngemittel braucht nur auf die Oberfläche gestreut und leicht eingehackt zu werden. Sollte das Wetter trocken sein, sorgt leichtes Wässern für sofortige Wirkung. Mit langsam wachsenden Steingartenkoniferen muß man vorsichtiger verfahren, weil sie bei Überdüngung leicht ihre typische Wuchsform einbüßen können. Bei diesen Formen genügt es, mit feuchtem Torf oder Rindenstückchen zu mulchen.

Das Verpflanzen mit und ohne Wurzelballen

Die Pflanzen werden ganz verschieden zum Kauf angeboten. Manche gibt es mit freigelegten Wurzeln (einfach aus der Erde herausgezogen), andere mit einem ausgegrabenen, durch Sackleinen oder Plastikfolie geschützten Wurzelballen. Im Topf angezogene Pflanzen wurden früher in Tontöpfen geliefert, heute sieht man stattdessen Metall- oder Plastikcontainer.
Heckenkoniferen, Lawsons- Scheinzypresse und *Thuja*, werden häufig mit freiliegenden Wurzeln geliefert. Dagegen ist nichts einzuwenden, wenn die Jungpflanzen regelmäßig angehoben und umstochen worden sind, um die Bildung von Faserwurzeln anzuregen. Solange sie gute Wurzeln haben, besteht kein Anlaß zur Sorge, daß diese preiswerten Pflanzen nicht gut anwachsen und sich zu einer prächtigen Hecke entwickeln sollten. Sind die Wurzeln trocken, wässert man sie vor dem Pflanzen einige Minuten in einem Eimer mit Wasser. Am unteren Teil des Stämmchens erkennt man am Wurzelhals bis zu welcher Höhe die Pflanze vorher im Erdboden steckte. Bei der Neupflanzung sollte man dies als Richtlinie beachten. Die anderen Pflanzen, die, während sie noch auf das Einpflanzen warten, vielleicht in der Sonne oder in austrocknendem Wind liegen, sollte man derweil mit einem nassen Sack bedecken. Können Sie im Augenblick nicht pflanzen, weil der Boden noch nicht vorbereitet ist? Keine Sorge! Die jungen Bäume können an einer unbenutzten Stelle des Gartens eingeschlagen werden, bis man so weit ist, sich mit ihnen zu befassen. Wenn gepflanzt wird,

sollten bei feuchtem oder trockenem Boden die Pflanzen mit dem Absatz festgetreten werden, bei nassem Wetter ist weniger Druck auszuüben. Wenn der Boden völlig naß ist, wartet man besser, bis die Pflanzenbedingungen günstiger sind.

Pflanzen ohne Wurzelballen dürfen nur während der Ruheperiode verpflanzt werden. Hat man Pflanzen mit Wurzelballen, verlängert dies die Pflanzperiode um einige Wochen. Sorgfältig behandelte Koniferen, die einige Monate vorher ausgegraben und mit den Wurzeln in feuchten Torf gebracht wurden, können oft sogar noch im Hochsommer verpflanzt werden. Manche für das Einpacken der Wurzeln benutzte Materialien verrotten, andere nicht. In Töpfen angezogene Pflanzen haben einen großen Vorteil. Man kann sie das ganze Jahr über bekommen und pflanzen, während die anderen nur in der Ruheperiode zu haben sind. Der Käufer kann sie also erwerben, wenn es gerade für ihn vorteilhaft ist, und mit dem Pflanzen warten, bis die Pflanzbedingungen günstig sind — mitunter Wochen später. Die Verluste bei den in Behältern gezogenen Pflanzen sind wirklich sehr gering, wenn man nur darauf achtet, daß sie, sollten sie zu trocken sein, mehrere Stunden getaucht werden müssen. Sie müssen sich wirklich ganz vollsaugen können, ehe man sie im vorbereiteten Gelände einpflanzt. Bei trockenem Wetter ist auch zu empfehlen, das Erdreich am Tag zuvor zu wässern, damit es sich vollsaugen kann, bis die Pflanzen eingesetzt werden. Sind die Pflanzen aus dem Topf herausgenommen worden, zeigt sich oft, daß die Wurzeln unten stark verfilzt sind. Man kann sie ganz vorsichtig mit einem angespitzten Hölzchen auflockern. Dabei sollte der Wurzelballen aber keinesfalls verletzt werden, denn er macht gerade den Wert einer im Topf gezogenen Pflanze aus.

Im Container gezogen oder in den Container gesetzt

Mitunter werden nachträglich in Töpfe gesetzte Pflanzen als Topfpflanzen ausgegeben. Sie sind im Freiland gezogen und nur für den Verkauf in Töpfe gesetzt worden. Das soll nun nicht heißen, daß mit diesen Pflanzen etwas nicht in Ordnung ist; sie können mitunter sogar besser sein als ein überaltertes, im Topf gezogenes Exemplar, das seinen Topf ausgewachsen hat. Jedoch kann folgendes passieren: Wenn man den Topf entfernt, kann alle Erde abfallen und man hat eine Pflanze mit völlig nackten Wurzeln. Wenn sie nun, so wie sie ist, konsequent behandelt wird (man nimmt sich vor, sich beim Händler zu beschweren), d. h. gewässert und schattig gehalten wird, dann bestehen gute Aussichten, daß es mit dem Anwachsen klappt. Wenn Freilandpflanzen verkauft werden, nachdem sie Zeit hatten in ihren Töpfen anzuwurzeln, sind sie den von Anfang an in Töpfen gezogenen Pflanzen durchaus gleichwertig. Einige Koniferen, besonders Wacholder, bilden nur spärliche Wurzeln, wenn sie in Töpfen gezogen werden, und man muß sehr achtgeben, daß beim Austopfen und Einpflanzen das Wenige, was vorhanden ist, intakt bleibt.

Wie man Verluste vermeidet

Die häufigsten Verluste bei frisch gepflanztem Material sind auf Wassermangel in der ersten Wachstumsperiode zurückzuführen. Das gilt für alles Verpflanzte, aber ganz besonders für Immergrüne und Koniferen. Man sollte nicht nur den Boden feucht halten, sondern auch die Pflanzen gelegentlich überbrausen. Bewegung wurde schon an anderer Stelle als ein Grund dafür angeführt, daß Koniferen nicht anwachsen. Deshalb gibt man jungen Pflanzen eine Stütze. Wenn Wassermangel der Hauptfeind der jungen Pflanzen ist, dann ist kalter Wind der Feind, der dem wenig nachsteht. Um seine Verwüstungen zu mindern, kann man auf der Windseite einen provisorischen Windschutz aus von Stöcken gehaltener Sackleinwand errichten. Die jungen Koniferen können auch mit Reisig und immergrünen Zweigen abgedeckt werden. Der Wasserverlust durch Transpiration, den die junge Pflanze durch Sonne und austrocknenden Wind erleidet, wird dadurch herabgesetzt. Neuerdings sind in manchen Ländern auch Verpflanzungssprays sehr beliebt. Sie geben den Blättern einen lackähnlichen Schutzfilm. Wenn wir auch selbst ein derartiges Spray noch nicht angewendet haben, bin ich doch der Meinung, daß alles, was der Pflanze hilft, diese kritische Zeit besser durchzustehen, als Vorteil betrachtet werden sollte.

Auswahl von Qualitätspflanzen

Worauf sollte man achten, wenn man in einem Gartencenter oder in einer Baumschule Koniferen kaufen möchte? Ganz gleich, ob es sich um Freilandpflanzen oder Topfpflanzen handelt, die Pflanzen, die in die engere Wahl kommen, sollen jung, kräftig sowie gut belaubt sein und die typischen Eigenschaften der betreffenden Art bzw. der Sorte zeigen. Gut belaubt bedeutet, daß die Belaubung bis unten, fast zum Erdboden reicht und daß nur wenig vom Stämmchen zu sehen ist.

Natürlich gibt es ein paar Ausnahmen. Bei einer jungen Zeder wird z. B., obwohl die anderen Bedingungen erfüllt werden, der Stamm zu sehen sein. *Thuja* und Lawsons Scheinzypresse können die Blätter der unteren Zweige verlieren, wenn sie in zu dichten Reihen stehen oder zu lange in einem Topf gezogen wurden. Die Blätter werden nur selten wieder ersetzt. Solche Pflanzen sollte man am besten stehen lassen und lieber voll belaubte, jüngere Exemplare wählen. Bei Zwergformen und langsam wachsenden Koniferen hat man die Wahl zwischen großen gepfropften Pflanzen und kleineren Exemplaren, die auf eigenen Wurzeln wachsen. Man sollte letztere wählen, denn sie werden eine für ihre Art typischere Wuchsform entwickeln. Pfropfungen erkennt man an einem Wulst am Stamm direkt über dem Wurzelhals. An dieser Stelle sind die beiden Pflanzenhälften miteinander verwachsen. Oft sind nur solche im Handel. Das liegt daran, daß es entweder zu schwierig oder zu kostspielig ist, eine bestimmte Sorte zu bewurzeln. Wenn es sich um großwüchsige Formen, wie Blaufichten (*Picea pungens*), Zedern-Sorten und dergleichen, handelt, braucht man sich um den Wachstumserfolg keine Sorgen zu machen. Hier ist darauf zu achten, daß man eine gut entwickelte Pflanze auswählt. Sie sollte regelmäßig verzweigt sein und — bei aufrecht wachsenden Formen — einen geraden, unbeschädigten Hauptstamm besitzen. Letzteres ist auch bei aus Samen gezogenen Arten wichtig. Wenn nämlich die Spitzenknospe im frühen Stadium beschädigt worden ist, bekommt man ein unregelmäßig gewachsenes Exemplar oder einen Baum mit zwei Stämmen.

Hier noch ein Wink in Sachen Pflanzen in zu kleinem Topf. Hat man sie aus dem Topf geklopft, sieht man eine harte Masse verfilzter Wurzeln. Nur wenn es einem gelingt, diesen harten Ballen, der einmal Pflanzerde war, zur Neubildung von Wurzeln zu bringen, ist wieder ein bißchen Wachstum von der Pflanze zu erwarten. An solchen Pflanzen hat man selten Freude, selbst nicht nach ihrer Befreiung aus dem Blumentopfgefängnis.

Pflanzmateril, das aus Forstpflanzgärten stammt, läßt sich in zweierlei Kategorien unterteilen. Junge zwei- bis dreijährige Sämlinge aus Forstpflanzgärten sind erstklassiges Material, vorausgesetzt, sie wurden verpflanzt. Ältere Pflanzen sind dagegen meist kein guter Kauf, sofern sie jahrelang an der gleichen Stelle gestanden haben und nicht regelmäßig umstochen wurden, so daß anstelle eines guten Faserwurzelsystems nur lange harte Wurzeln gebildet wurden.

Der gute Ruf einer Baumschule steht und fällt mit der Qualität der Pflanzen, die sie verkauft. Die meisten bieten ausgezeichnete Qualität. Manchmal scheint die Auswahl in Anbetracht des ihnen zur Verfügung stehenden Geländes sehr beschränkt. Das betrifft besonders das Angebot an Steingartenkoniferen.

VERMEHRUNG

Die meisten der in Gärten gepflanzten Koniferen werden von einem Handelsgärtner, einem Gartencenter oder einer Baumschule erworben. Es ist aber nicht einzusehen, warum ein begeisterter Hobbygärtner nicht fähig sein sollte, von vielen von ihnen als Ergänzung für seinen Bestand weitere Pflanzen heranzuziehen, sofern er erst einmal einen Grundstock sein Eigen nennt.

Für die Vermehrung von Bäumen gibt es zwei Methoden:
1. Aus Samen. Durch Samen werden nur Arten vermehrt.
2. Aus Teilen der vorhandenen Pflanze. Das ist vegetative Vermehrung und die Methode, die bei der Vermehrung aller Sorten und Klone praktiziert wird.

Dabei unterscheidet man:
        a) Stecklingsvermehrung
        b) Pfropfung
        c) Absenker
        d) Teilung

Koniferenanzucht aus Samen

Das Herabfallen der reifen Samen auf den Waldboden ist die Art und Weise, auf die die Natur alte Bäume ersetzt. Im Extremfall ist sogar ein Waldbrand nötig, dessen Hitze die reifen Zapfen zwingt, sich zu öffnen und ihren Inhalt zu verstreuen. Die aus den Samen hervorgehenden Sämlingspflanzen, die der Forstmann in seinem Pflanzgarten heranzieht, werden zur Aufforstung neuer oder durch Abholzung frei gewordener Waldflächen gebraucht. Alle Koniferenarten können aus Samen gezogen werden und ergeben jeweils eine Pflanze, die das genaue Abbild der Elternpflanze ist.

Obwohl Forstleute und im kleineren Umfang auch Baumschulgärtner das Heranziehen von Koniferen aus Samen praktizieren, versuchen es Hobbygärtner nur selten. Der

Grund hierfür ergibt sich aus dem zuvor Gesagten: Abgesehen von einigen wenigen Arten sind alle Gartenkoniferen Kultursorten, die, selbst wenn Samen verfügbar wären, nicht samenecht sind. Jeder, der Arten heranziehen möchte und sich Samen beschaffen kann, wird sehen, daß diese Form der Vermehrung die einfachste ist. Gesät werden kann gleich nach der Samenreife oder später, wenn die Wetterbedingungen günstig sind. Das Anzuchtbeet sollte geschützt liegen und der Boden — wenn möglich — leicht sandiglehmig sein. Die kleinen Pflänzchen müssen vor Sonneneinstrahlung geschützt werden, sonst welken sie und gehen ein. In der Natur stünden sie ja im Schatten unter dem Schutz der Elternbäume. Als Schutz kann man käufliche Plastiknetze oder Birkenreisig verwenden. Die Samen werden entweder in Rillen oder breitwürfig auf schmalen Beeten ausgesät. Nachdem man sie mit Erde oder scharfem Sand bedeckt hat, kann man die Oberfläche mit einer leichten Walze befestigen. Bei einem schmalen Beet genügt es, die Erde mit der Rückseite des Spatens festzuklopfen. Das Festklopfen geschieht, um die obersten Zentimeter vor dem Austrocknen zu schützen und damit die Keimung der Samen zu unterstützen. Wie tief die Samen gesät werden, hängt von ihrer Größe ab. Sie werden aber immer nur ganz schwach mit Erde bedeckt. Damit die Pflanzen kräftig werden, müssen die kleinen Pflänzchen verzogen werden.

Um Schädlingsbefall zu verhindern, sollten die Samen vor der Aussaat in einer Plastiktüte mit etwas rotem Bleioxydpulver und genügend Kerosin durchgeschüttelt und angefeuchtet werden. Versäumt man dies, werden die Samen leicht von Mäusen und anderen Nagern bei der Nahrungssuche ausgegraben. Maulwürfe können durch ihre Erdarbeiten auch sehr lästig werden. Es heißt, ein wirksames Abschreckungsmittel seien in ihre Gänge gelegte Mottenkugeln. Wenn aber die Mottenkugeln nicht helfen, wird man es mit Fallenstellen und Vergasen versuchen müssen.

Nach der Aussaat, und noch ehe die Samen auskeimen, muß für Schatten gesorgt werden. Das Schattierungsmaterial sollte dabei über die ganze Breite des Beetes gespannt werden, so daß kein Teil direktes Sonnenlicht erhält. Das Umpflanzen auf ein geschütztes Anzuchtbeet erfolgt frühestens nach einer vollen Vegetationsperiode.

Aussäen in Töpfe

Für diejenigen Hobbygärtner, die keine Möglichkeiten haben, im Freiland auszusäen, gibt es eine Alternative: Anzucht kleiner Samenmengen in Töpfen. Dafür benötigt man eine lockere Pflanzerde, die man aus drei Teilen feuchten Torfs, zwei Teilen gesiebten Lehms und einem Teil scharfen Sandes herstellt. Dünger ist zunächst noch nicht nötig, aber etwas gemahlener Kalk kann für Wacholder und Eiben beigefügt werden. Es sind Vorkehrungen zu treffen, die verhindern, daß Regenwürmer durch das Abzugsloch in den Boden des Topfes eindringen können. Würmer zerstören die winzigen, neu gebildeten Wurzeln. Früher nahm man kleine Scheiben von perforiertem Zink, die innen auf das Abzugsloch gelegt wurden. Heute soll ein Plastikmaschenwerk das Zink verdrängt haben. Nachdem man für eine Dränage in den Töpfen gesorgt hat, werden sie bis fast obenhin mit dem Erdgemisch gefüllt. Nun werden die Samen auf die Oberfläche gestreut und mit einer Lage scharfen Sandes oder feinen Kieses leicht bestreut. Der Topf wird mit einem Etikett versehen und in ein Frühbeet oder Gewächshaus gestellt.

Die Samen keimen besser, wenn die Töpfe mit braunem Packpapier abgedunkelt werden. Es ist zu entfernen, wenn die Keimlinge die Erdoberfläche durchbrechen. Genau wie die Beete bei Freilandaussaat, sind auch die Frühbeete bei sonnigem Wetter zu schattieren. Wenn die Pflanzen zufriedenstellend wachsen sollen, sollten die Töpfe in geschützter Lage auf einer Kiesschüttung ins Freie gestellt werden. Austopfen kann man, wenn die Pflänzchen groß genug sind, um sie handhaben zu können, mitunter schon vor dem Erscheinen der richtigen Blätter. Sie können weiterhin in Töpfen gezogen werden, bis sie schließlich für ihren endgültigen Standort groß genug sind. Man kann sie aber auch für ein paar Jahre in ein Anzuchtbeet setzen. Vergessen Sie nicht, die jungen Pflanzen jedes zweite Jahr zu verpflanzen, damit sie ein gutes Faserwurzelsystem entwickeln. Solange man sie in Töpfen zieht, brauchen sie etwas Düngung, falls die gleiche Erdmischung benutzt wird, die schon bei der Samenanzucht verwendet wurde. Eine kleine Menge Volldünger kann mit der Erde vermischt werden oder man fügt dem Gießwasser ab und zu etwas Düngerlösung zu.

Pfropfungen

Gartenpflanzen setzen sich hauptsächlich aus Formen oder Mutanten zusammen, die jedoch nicht samenecht sind. Deshalb müssen sie mit Hilfe einer der vier zuvor erwähnten Methoden vegetativ vermehrt werden. Das bedeutet, daß die Abweichung, die bei der Ursprungspflanze aufgetreten ist, durch Gewebeverpflanzung an die nächste Generation weitergegeben wird und alle Abkömmlinge deshalb ein direkter Teil der Mutterpflanze sind. In manchen Fällen, einschließlich bei den meisten Kiefernsorten, sind Stecklinge unter normalen Bedingungen nur sehr schwer oder gar nicht zur Bewurzelung zu bringen. Diese Stecklinge müssen als Pfropfreiser einer bereits bewurzelten Pflanze aufgepfropft werden, meist einem Sämling der gleichen oder einer nahe verwandten Art. Ist das Pfropfreis angewachsen, wird der Spitzenaustrieb der Unterlage völlig entfernt, damit sich das Reis zu einer neuen Pflanze entwickeln kann. Viele Koniferen können zur Wurzelbildung veranlaßt werden, einige verhältnismäßig leicht, bei anderen ist es schwieriger. Nur in letzterem Fall sollte man die Pfropfmethode anwenden. Jedoch in unserer auf Erwerb bedachten Welt wird dies nicht immer so gehandhabt. Hat man eine Pflanze, die sehr willig Wurzeln bildet aber nur sehr langsam wächst, handelt es sich sicher um eine gepfropfte Form. Vom heutigen Baumschulgärtner wird eben die schnelle Produktion und ein gleichbleibendes Angebot erwartet. Wenn es ihm gelungen ist, eine verkaufsfähige Pflanze preiswert zu produzieren, ist das für den Käufer allein noch kein Grund, vor dem Kauf zurückzuschrecken. Anders jedoch bei Zwergformen. Hier übt die wüchsige Unterlage einen unerwünschten Einfluß auf die Wachstumsrate aus und regt entgegen dem Wunsch nach Zwergwuchs ein zu starkes Spitzenwachstum an. Hier sollte man, wenn irgend möglich, eine Pflanze wählen, die auf eigenen Wurzeln steht.

Wie Koniferen gepfropft werden

Das Pfropfen, besonders von dekorativen Exemplaren, ist immer als die Hohe Kunst des Gärtners betrachtet worden. In manchen Betrieben wird dies immer noch hinter verschlossenen Türen des „Pfropfhauses" ausgeführt und nur der Schlüsselinhaber weiß um Erfolg und Mißerfolg. Schwarz auf Weiß liest es sich schließlich so einfach, als brauchte man nur zur rechten Zeit das richtige Material, dazu ein scharfes Messer und etwas handwerkliche Geschicklichkeit.

Wäre es tatsächlich so einfach, wäre alle Geheimnistuerei, die diese Arbeit umgibt, längst beseitigt. In der Praxis braucht man aber, speziell bei Koniferen, eine ganze Menge Erfahrung, ehe man es auf diesem Gebiet zur Meisterschaft gebracht hat. Damit ist aber noch nicht gesagt, daß es einem begeisterten Amateur nicht möglich sein soll, erstklassig gepfropfte Pflanzen zu produzieren. So etwas hat es gegeben und gibt es noch.

Obwohl sich gezeigt hat, daß es durchaus möglich ist, eine Pfropfung im Freien auszuführen, ist es — weil man Wind und Wetter nicht in seiner Gewalt hat — doch besser, den Eingriff unter Glas vorzunehmen. Als Pfropfunterlagen nimmt man fast immer aus Samen gezogene Pflanzen der gleichen Art, die wenigstens schon eine Vegetationsperiode lang in Töpfen angewurzelt sind. Baumschulen machen darin eine Ausnahme, indem dort oft, auf Grund der in Frage kommenden großen Anzahl, junge Lawsons Scheinzypressen unmittelbar vor der Weiterverarbeitung herausgenommen werden, was dann in Serie geschieht. Diese sogenannten Serienpfropfungen werden daraufhin dicht in einen Vermehrungskasten gesteckt, wo das Zusammenwachsen erfolgt. Uns ist eine Baumschule bekannt, in der diese Arbeit als ein Job für regnerische Tage betrachtet wird. Sie bietet einem der Arbeiter eine willkommene Möglichkeit, im Trocknen zu sitzen und der Sportreportage im Radio zu lauschen, während er diese knifflige Arbeit ausführt.

Pfropfzeit für Koniferen

Die gebräuchlichsten Zeiten für das Pfropfen unter Glas sind das zeitige Frühjahr, wenn der Saft in den Stämmen der für das Pfropfen vorbereiteten Pflanzen steigt, oder der Spätsommer, wenn der Neuzuwachs ausgereift ist. Letztere ist für die Koniferen die günstigere Zeit (es sei denn, man versuchte es in der Ruheperiode). Der harzige Saft der Koniferen fließt im Frühling so reichlich und erhärtet bei Luftzutritt, so daß dadurch oft ein Zusammenwachsen der Schnittflächen verhindert wird.

Die häufigste bei Koniferen angewendete Pfropfmethode ist das seitliche Anplatten. Dabei wird ein Stück vom Holz der Pflanze, die als Unterlage dient, entfernt und zwar so tief unten am Stamm, wie nur irgend möglich. Weil sich später an der Schnittstelle ein häßlicher Wulst bildet, ist es günstig, den Schnitt so weit unten auszuführen, wie es nur geht. Dann wird der Schnitt am Pfropfreis so geführt, daß er dem an der Unterlage entspricht. Die angeschnittenen Flächen werden schnell aneinandergefügt und zur Befestigung mit Bast umwickelt. In diesem Stadium wird der Unterlagenpflanze noch das Spitzenlaub belassen, obwohl es stark zurückgeschnitten werden kann, wenn es zu üppig ist. Sind beide Schnittflächen zusammengewachsen und weist das Pfropfreis gesundes Laub und auch Wachstum auf, wird der Stamm der Unterlage oberhalb der Pfropfstelle entfernt. Mitunter braucht man einen dünnen Stock, um beiden Hälften der neuen Pflanze Halt zu geben, damit sie nicht auseinanderbrechen, ehe die Verwachsung stark genug ist. Bei Pfropfungen unter Glas ist es nicht nötig, die Wunde gegen Witterungseinflüsse zu schützen, wie das im Freien geschehen müßte. Im Gegenteil. Es könnte der Pflanze schaden, wenn man die feuchte Luft stagnieren ließe. Die Bastwicklung muß gelöst werden, wenn die Nahtstelle anschwillt, sonst könnte die Rinde abgeschnürt werden, was den Saftfluß zum Pfropfreis behindern würde. Geglückte Pfropfungen müssen abgehärtet werden, ehe man sie ins Freie bringt oder umpflanzt.

Pfropfung contra Steckling

Viele Koniferen, die man nur als Veredlungen erwerben kann, werden sich dann zufriedenstellend entwickeln, wenn sie auf arteigenem Wurzelstock wachsen. *Chamaecyparis obtusa*-Sorten sind in Baumschulen fast immer als gepfropfte Pflanzen zu sehen. Sie treiben zwar selbst erfolgreich Wurzeln, wachsen allerdings nur langsam und bilden Zwergformen. Dadurch ist es schwierig, geeignetes Stecklingsholz zu finden, da man für die Vermehrung normalerweise auf Schößlinge des laufenden Jahres zurückgreift. Bei solchen Zwergformen und anderen sehr gedrungen wachsenden Pflanzen sind die Triebe oft zu kurz, um sie leicht handhaben zu können. In solchem Fall sollte man es mit Holz versuchen, das zwei, drei oder mehr Jahre alt ist. Einige Koniferen (dazu gehören eine Anzahl Wacholder und vornehmlich *Chamaecyparis*-Sorten mit juvenilem Laub) bewurzeln sich leicht. Bei anderen ist es schwieriger. Durch die Einführung von Bewurzelungshormonen in pulverisierter und flüssiger Form ist dem leidenschaftlichen Pflanzenvermehrer ein willkommenes Hilfsmittel in die Hand gegeben. Wo keine spezielle Sprühnebelanlage vorhanden ist, lassen sich die meisten Koniferen während der Sommermonate bewurzeln, wenn sie in Töpfen in ein leicht schattiertes Frühbeet gestellt werden. Durch eine Plastikfolie unter dem Frühbeetfenster schafft man eine Art Doppelfenster und damit in diesem Mikroklima eine erhöhte Luftfeuchtigkeit. Fast alle Koniferen zeigen unter solchen Bedingungen bessere Wurzelbildung. Eine Ausnahme scheint dabei Lawsons Scheinzypresse zu bilden, die nach neuesten Erkenntnissen williger unter einfacher Verglasung Wurzeln treibt.

Stecklinge dürfen nicht welken, das würde die Wurzelbildung verzögern. Dabei ist es wesentlich besser, für eine hohe Luftfeuchtigkeit zu sorgen, als die Pflanzerde zu naß zu halten.

Die mit Stecklingen angefüllten Töpfe bleiben derart geschützt, bis im Frühling wieder neues Wachstum einsetzt. Dann können sie je nach Wunsch ausgepflanzt oder eingetopft werden. Für letzteres ist ein Substrat, ähnlich wie das für die Samenaufzucht, mit einer winzigen Menge Volldünger zu verwenden.

Stecklingsgewinnung

Für die Stecklingsgewinnung benutze man ein scharfes Messer oder Rasiermesser. Man schneidet zwischen zwei Wachstumsperioden das Reis an einem Knoten oder Achselsproß ab. Das Stecklingsende wird in das Bewurzelungshormon gestippt und der so vorbereitete Steckling mit einem Drittel seiner Länge (bei kurzen Stecklingen ist es die Hälfte) in eine Mischung aus zwei Teilen feuchten Sphagnumtorfs und einem Teil scharfen Sandes gepflanzt. Als Behälter kann man Töpfe oder Kästen verwenden, je nach der Menge der Stecklinge.

In der Praxis ist es günstiger, wenn jede Sorte in einem separaten Topf gehalten wird, denn die Dauer der Wurzelbildung, vom Tage des Einsteckens an gerechnet, kann zwischen drei Wochen und sechs Monaten oder noch länger variieren. Wenn alle Stecklinge in den Töpfen untergebracht sind, wässert man mit einer kleinen Gießkanne mit Feinbrause, um sie einzuschlämmen. Dann werden sie auf den Sprühtisch oder in den Vermehrungskasten des Gewächshauses oder in ein im Schatten gelegenes Frühbeet im Garten gestellt. Es ist günstiger, das Frühbeet dort anzulegen, wo es nicht direkt vom Sonnenlicht getroffen wird, als das Glasfenster zu schattieren. Die Töpfe sollten feucht gehalten werden. Die beste Methode zu wässern ist, die Töpfe in ei-

nen Eimer zu stellen, so daß sie das Wasser von unten aufnehmen können. Nach der Bewurzelung dürfen die Pflanzen etwas mehr Luft bekommen und im Winter kann man
an frostfreien Tagen das Frühbeetfenster einen Spalt weit
öffnen.

Die Zeit für den Stecklingsschnitt

In den „Frühzeiten" der Baumschulen waren Spätsommer
und Herbst die traditionelle Jahreszeit für den Stecklings-
schnitt. Seit es überall Anzuchttische mit Bodenerwärmung
und Sprühnebelanlagen in den Gewächshäusern gibt, kann
man jetzt Stecklinge während des ganzen Jahres schneiden.
Es gibt einige Arten und Sorten, die in einer bestimmten
Jahreszeit williger Wurzeln treiben (Fachleute sprechen von
der „Optimumzeit"). Wenn man diese Zeiten kennt, ist der
Erfolg gesichert.

Auswahl von einwandfreiem Vermehrungsmaterial

Die richtige Auswahl des Holzes für Stecklinge oder Pfropfreiser ist gerade bei Koniferen besonders wichtig, denn während viele andere Pflanzen in der Lage sind, eine für sie
typische Wuchsform auszubilden, ganz gleich an welcher
Stelle das Holz entnommen wurde, können viele der Koniferen das nicht. Sie setzen das Wachstum in der gleichen
Form fort, als wären sie noch mit dem ursprünglichen
Stamm verbunden, selbst als Steckling oder Pfropfreis. So
neigen bei einigen Arten Pfropfreiser von einem abwärts
hängenden Zweig dazu, Pflanzen mit niederliegendem
Wuchs auszubilden. Nur die Leit- oder Apicaltriebe von
der Pflanzenspitze haben die Fähigkeit, einen Baum von
ausgewogener Wuchsform mit normal radiärem, einander
gegenüberstehendem Zweigsystem zu bilden, und deshalb
darf man nur solche Triebe auswählen, wenn man gut gewachsene Bäume erzielen will. Weil diese für Pfropfungen
geeigneten Triebe rar sind, verwenden Baumschulgärtner
auch tiefer gelegene Triebe, die eine Apicalknospe besitzen.

Bei richtiger Verschulung kann auf diese Weise ein Baum erzielt werden, der in seiner Wuchsform kaum von dem zu unterscheiden ist, dessen Pfropfreis einem Leittrieb entstammte. Die Tannen und die Fichten (speziell die *Picea pungens* Glauca-Gruppe) beanspruchen besonders sorgfältige Pflege. Die letztere ist sehr gefragt und wird daher oft als einjährige Pfropfung komplett mit einem dünnen Stock in den Handel gebracht. Dieser muß weiter verwendet werden, wenn die Pflanze heranwächst, damit man die Gewähr hat, daß die Pflanze fortfährt, aufrecht weiterzuwachsen, bis die unteren Zweige gut entwickelt sind. Auch die selbstgezogenen Pflanzen brauchen Stöcke und man muß auf die Spitzenknospe sehr achtgeben, denn wenn sie beschädigt wird, kann sich die Pflanze nicht ebenmäßig entwickeln.

In einem Steingarten kommt es vor, daß eine liegende Form plötzlich zurückschlägt, indem sie einen Leittrieb bildet. In diesem Fall sollte man den Zweig legen und am Boden mit Nadeln feststecken oder den Zweig ganz herausschneiden, damit die Pflanze ihre ursprüngliche Form behält.

Der basale Zuwachs behält bei einigen Sorten oft den juvenilen Charakter des Stecklings, der als Material für die Vermehrung benutzt wurde. *Thuja* 'Rheingold' ist eine von diesen. Wenn man bei dieser Sorte die Stecklinge ganz unten von der Pflanze abnimmt, und nicht von den Leittrieben mit erwachsenen Blättern, bildet die Pflanze einen rundlichen, lockeren Ball mit altgolden getönter Belaubung, anstatt kegelförmig zu wachsen. Diese kleinen Pflanzen werden oft künstlich in dieser Form gehalten, indem man die Altersblätter, sowie sie sich bilden, entfernt.

Alle Koniferen, die sich in atypischer Weise als Folge der Auswahl des Vermehrungsmaterials entwickelten, wurden von Mr. H. J. Welch in seinem diesbezüglichen Standardwerk „Dwarf Conifers" als „cultivarients" bezeichnet. Obwohl von der Namengebungskommission noch nicht akzeptiert, würde dieses Wort zu erkennen geben, wie viele dieser Formen entstehen.

Stecklinge von kräftigen Jungpflanzen, besonders von Sämlingen, wurzeln meist viel williger als Material, das von

erwachsenen Bäumen genommen wurde. Einige Baumschulgärtner halten ihre Mutterpflanzen „weich", d. h. unter
Glas, um konstant mit schnell wurzelndem Material ver-
sorgt zu sein. Der Hobbygärtner, dem es nur auf ein paar
zusätzliche Pflanzen ankommt, braucht sich diese Mühe
nicht zu machen. Ihm mag wohl mit dem Hinweis am Ende
dieses Kapitels auf S. 59 gedient sein.

Vermehrung durch Absenker und Teilung

Die Vermehrung durch Absenker oder Teilung bietet sehr
oft eine gute Alternative zur Vermehrung durch Pfropfung
oder Stecklingsbewurzelung, besonders wenn es sich um
niedrig bleibende Pflanzen handelt. Da beide Methoden
manches gemeinsam haben, werden sie hier auch gemeinsam
behandelt. Bei jeder Methode wird die Wurzelbildung dadurch angeregt, daß man niedrige Zweige in den Erdboden
bringt. Bei der Teilung nimmt man die Pflanze aus der
Erde und pflanzt sie darauf erneut ein, jedoch wesentlich
tiefer, so daß nur noch die Spitzen der Zweige aus der Erde
herausschauen. Diese Methode eignet sich sehr gut für langsam wachsende Formen und Steingartenkoniferen. Sobald
die Pflanze Wurzeln gebildet hat (der Erdboden kann vorsichtig weggekratzt werden, um einmal nachzuschauen),
gräbt man sie wieder aus, teilt sie vorsichtig und pflanzt die
bewurzelten Teile reihenweise aus. Absenker am Standort
machen weniger Arbeit. Hier wird der ausgewählte Teil am
besten in torfmullhaltigem Substrat am Boden befestigt, damit sich Wurzeln bilden.
Bei Pflanzen, die sich nur zögernd bewurzeln, kann man
den Vorgang beschleunigen, indem man die Rinde verletzt.
Man macht in diesem Fall einen diagonalen Einschnitt an
der Basis des Triebes und streut etwas Bewurzelungspulver
in die Wunde. Absenker können zu jeder Jahreszeit gemacht
werden. Der Vorteil ist, daß sie, ehe sie endgültig abgeschnitten werden, für zwei oder drei Vegetationsperioden
so verbleiben können, ohne daß die Mutterpflanze gestört
wird. Von Zeit zu Zeit legt man den Zweig frei, um den
Fortschritt der Wurzelbildung zu überprüfen. Wenn der

Absenker gut bewurzelt zu sein scheint, kann er von der Mutterpflanze abgetrennt werden. Verpflanzen soll man den Absenker in den ersten Wochen danach noch nicht. In dieser Zeit wird er — da er sich nun allein erhalten muß — noch ständig mehr Wurzeln bilden. Verpflanzt man ihn zu früh, könnte er das übelnehmen und eingehen.

Bei den meisten Zwergformen werden manche tief liegenden Zweige sich selbst bewurzeln. Diese „Irländer-Stecklinge" mit ihren paar Wurzeln kann man abtrennen und für ein bis zwei Jahre in Reihen auspflanzen, bis sie sich soweit bewurzelt haben, daß man ihnen einen endgültigen Platz geben kann.

Seit der Einführung des modernen Sprühnebelverfahrens und dem damit verbundenen doppelten Vorteil von Tempo und Bereitwilligkeit der Wurzelbildung bei Stecklingen wird die Teilung, falls überhaupt, nur noch selten in Handelsgärtnereien praktiziert. Früher einmal gab es eine kleine exklusive Baumschule in der Woking-Gegend von Surrey (England), in der der Eigentümer mit dieser Methode die prächtigsten Zwergkoniferen und Heiden heranzog, die wir jemals gesehen haben. Die Mutterpflanzen von *Chamaecyparis lawsoniana* 'Ellwoodii', *Ch. pisifera* 'Plumosa Compressa' und 'Nana', *Ch. thyoides* 'Ericoides', Zwergeiben, *Cryptomeria japonica* 'Vilmoriniana' und etliche andere wurden ausgewählt, aus der Erde genommen und dann tief wieder eingesetzt. Das passierte im Herbst. Zwölf Monate später wurden sie wieder herausgenommen und diesmal zerteilt, nach der Größe sortiert und neu eingepflanzt. Eine weitere Wachstumsperiode verging, bevor die größeren Pflanzen für den Verkauf fertig waren. Es war nun wieder an der Zeit, hieraus die Mutterpflanzen auszuwählen, zu pflanzen und den ganzen Vorgang zu wiederholen. Da dies jährlich auf mehreren Anbauflächen durchgeführt wurde, garantierte die Methode einen gleichbleibenden Nachschub. Der Grünsandboden dieses Landstrichs, mit viel Torf vermischt und etwas Dünger versetzt, ergibt Koniferen, die beim Herausnehmen einen guten Wurzelballen haben und eine Laubfarbe aufweisen, die einfach einmalig ist.

PROBLEMFÄLLE

Wenn eine Konifere sich nicht richtig entwickelt, Schäden zeigt oder sogar eingeht, kann das die unterschiedlichsten Ursachen haben. Manche Schwierigkeiten sind von vornherein vermeidbar, andere können behoben werden. Die häufigste Ursache von Verlusten ist das Umpflanzen. Die sogenannten physiologischen Störungen gehören auch oft in diese Kategorie. Durch die richtige Auswahl der Arten, Wahl des richtigen Standorts, Bodens und Klimas kann man sie weitgehend vermeiden. Kleinere Verluste entstehen durch Pilzkrankheiten. Auch mit Schadinsekten muß man rechnen. Sie sind nicht nur verantwortlich für die Verbreitung einiger Pilzkrankheiten, sondern können auch Verunstaltungen verursachen.

Umpflanzen

Dieses Thema kam schon zuvor einmal zur Sprache. In die Verpflanzungszeit und die zwei oder drei Jahre, die eine Pflanze benötigt, um an ihrem neuen Standort heimisch zu werden, fallen etwa 99 Prozent der auftretenden Verluste oder teilweisen Schädigungen. Der wichtigste Faktor ist Wasser, entweder nicht genug oder zuviel davon. Hauptfeinde der frisch verpflanzten Koniferen sind austrocknender Wind und heiße Sonne. An exponierten Standorten muß man deshalb Vorsorge treffen, um Wasserverlust durch Verdunstung zu vermeiden. Durch eine die Pflanzen umgebende Schutzumhüllung aus Säcken oder Plastikmaterial kann man hier weitgehend Abhilfe schaffen. Wenn es das Wetter erlaubt, sollte man in den Abendstunden übersprühen.
Andererseits kann man sagen: Zu viel Wasser ist genauso schlimm, sogar schlimmer als zu wenig. Wir wurden einmal im Zusammenhang mit einer Thujahecke, die jüngst in nassen, klebrigen Lehmboden gesetzt worden war, was praktisch zum Totalverlust führte, um unseren Rat gefragt. Es waren einfach Löcher gegraben worden, die sich mit Wasser

füllten, als man die Pflanzen einsetzte. Die Wurzeln erstickten aus Mangel an Luft. Wenn beim Pflanzen der Hecke der Boden längs der Hecke angeschüttet worden wäre, hätten die Pflanzen vermutlich überlebt und sich gut weiterentwickelt.

Physiologische Störungen

Wenn man die für Boden, Klima und Standort geeigneten Pflanzen auswählt, wird man das Auftreten physiologischer Störungen weitgehend ausschalten. Es ist einleuchtend, daß Verluste eintreten müssen, wenn man empfindliche Pflanzen in einer klimatisch für sie ungünstigen Gegend auspflanzt. Spätfröste können die Jungtriebe einer sonst robusten Form zerstören. Passiert das nach dem Erscheinen des Maiwuchses, werden die Jungtriebe braun und sterben ab. Mitunter benötigt die Pflanze volle zwölf Monate, um am Hauptstamm neue Triebe hervorzubringen, so daß während einer Vegetationsperiode kein neues Wachstum erfolgt. Bäume erholen sich im allgemeinen gut, wenn sie im nächsten Frühjahr neu austreiben.

Chlorose, ein Vergilben der Belaubung bei einer grünen Pflanze, tritt auf, wenn eine kalkfliehende bzw. kalkmeidende Pflanze in einen stark kalkhaltigen Boden gepflanzt wird. Das bezeugt eine falsche Pflanzenwahl, denn es gibt eine größere Zahl von Pflanzen, die alkalische (kalkhaltige) Böden nicht mögen. Das hilft nun niemandem, der bereits eine solche kränkelnde Pflanze in seinem Garten stehen hat. Was ist zu tun? Das Umpflanzen an einen anderen Standort, der mit kalkfreier Kulturerde vorbereitet wurde, mag eine Lösung sein, sofern es sich um eine Zwergform handelt. Es kann aber auch ein Eisenchelat, vorschriftsmäßig mit Wasser verdünnt, um die Pflanze in den Boden gebracht werden. Es liefert Eisen in einer Form, die die Pflanze leicht aufnehmen kann, und sie wird danach bald wieder ihre gesunde grüne Farbe bekommen. Allerdings ist die Wirkung nicht von Dauer und die Kur wird mindestens zweimal pro Jahr wiederholt werden müssen.

Aber auch zu reichhaltige Gaben von Kunstdünger oder frischem Stalldung in all zu großer Nähe der Wurzeln können die Ursache für Chlorose sein. Auf andere Mängel des Bodens scheinen Koniferen nicht zu reagieren.

Blattbrand

Durch Wind, Sonne oder Frost verursacht und bei Chlorophyllmangel in den Blättern vorkommend, tritt Blattbrand allgemein bei gelben und weißbunten Formen auf. Solche Pflanzen brauchen allerdings sonnige Standorte, um ihr charakteristisches Merkmal entwickeln zu können. Man sollte deshalb bemüht sein, sie an einem windgeschützten Platz unterzubringen, wo sie zwar Morgensonne bekommen, aber vor direkter Sonneneinstrahlung mittags geschützt sind.
Blattbrand kann aber auch durch Spritzer oder Kontakt mit Holzkonservierungsmethoden bzw. deren Dämpfen verursacht werden. Also bitte, Vorsicht bei der Behandlung eines Holzzaunes, wenn eine Hecke dicht daneben steht. Vom Wind weitergetragene Unkrautvernichtungsmittel, speziell die selektiven, können bei zarten Jungpflanzen großen Schaden anrichten. Man sollte also immer vorsichtig sein, damit solche Pannen nicht eintreten. Chemische Schädlingsbekämpfungsmittel scheinen Koniferen nicht zu schaden. Wenn man die Wahl hat, sollte man wasserlösliche Stäubemittel verwenden und alle Präparate auf Ölbasis vermeiden, da letztere dem Laub Glanz und Farbtiefe nehmen und es Monate dauert, bis die alte Schönheit wiederkehrt.

Krankheiten

Koniferenkrankheiten werden durch Pilzinfektionen verursacht. Pilze sind einfache Formen pflanzlichen Lebens und leben häufig im Boden und in oder an Pflanzen. Viele von ihnen sind für das Leben anderer Pflanzen nützlich. Einige Koniferen haben eine besondere symbiotische Beziehung zu einem Pilz, wobei beide Partner in ihrer Existenz voneinander abhängig sind. Obwohl viele Arten der Koniferen (mitunter ganze Familien) absolut immun gegen Pflanzenkrankheiten zu sein scheinen, gibt es andere, die sehr anfällig sind. Für alle gilt, daß Pflanzen, die durch gute Pflege in gutem Wuchs sind, weniger leicht befallen werden.

Es gibt eine große Anzahl von Krankheiten mit unterschiedlichen Symptomen. Zu diesen gehören: Verfärbung, Abwerfen der Nadeln oder Blätter, rostähnliche Flecke auf der Belaubung, tote oder absterbende Zweige. Meist ist es nur möglich, junge Bäume oder Zwergformen zu behandeln. Das Sprühen mit einem Fungizid im Frühjahr und Spätsommer (jedesmal zwei Spritzungen) wird bei einer leichten Erkrankung ausreichen. In schweren Fällen wird man infizierte Zweige herausschneiden müssen, diese sollten verbrannt werden. Die dabei entstehenden Wunden müssen mit antiseptischer Paste behandelt werden. Man sollte auch die zum Schneiden benutzten Gartengeräte desinfizieren, um das Risiko der Infektionsausbreitung zu mindern.

Wenn ein Baum infolge einer Krankheit und nicht nur auf Grund seines hohen Alters eingeht, muß er verbrannt werden und sein Standort muß für vier bis fünf Jahre mit einjährigen Blumen oder Stauden bepflanzt werden, ehe man auf die gleiche Stelle wieder eine Konifere setzt.

Insekten

Einige Koniferen werden von verschiedenen schädlichen Insekten befallen, die vernichtet werden müssen, ehe sie häßliche Mißbildungen verursachen und durch Schwächung der Pflanze die Ausbreitung von Pilzkrankheiten begünstigen. Deshalb sollte man im zeitigen Frühjahr in vierzehntägigen Abständen zwei- bis dreimal pro Woche mit einem Insektizid spritzen. Im Spätsommer, oder wenn Schädlinge entdeckt werden, sollte die Spritzung wiederholt werden. Genau wie bei den Pflanzenkrankheiten ist es auch hier wieder die Jungpflanze, die mehr Aufmerksamkeit und Pflege beansprucht, damit ihre Wuchskraft erhalten bleibt.

Außer dem Sprühen gegen die üblichen Schädlinge kann man Gallen, die an den jungen Trieben der Rotfichte als

Schwellungen erkennbar sind, mit der Hand abpflücken. Diese Gallen enthalten Kolonien kleiner Blattläuse und verkrüppeln den Baum, wenn sie nicht entfernt werden. Auch Raupen, die die Fichtenzweige entnadeln, können mit der Hand abgesammelt werden, soweit man sie erreichen kann. Es kann hier auch Spray benutzt werden.

WACHSTUM UND WACHSTUMSBEDINGUNGEN

Es läßt sich wohl behaupten, daß für viele Leute die ideale Konifere ein Baum sein würde, der sehr schnell die gewünschte Größe und Wuchsform erreichte und sie dann für mehr oder minder unbegrenzte Zeit behielte, ohne noch weiterzuwachsen. Holzgewächse, wie die Koniferen, sind nicht wie Tiere, die bis zur Geschlechtsreife wachsen und dann bis zum Ende ihres Lebens die gleiche Größe behalten, sie wachsen bis zu dem Zeitpunkt, an dem ihre Lebensuhr abgelaufen ist. Dann hört das Längenwachstum auf und das Absterben beginnt. Sogar viele der kleinwüchsigen Steingartensorten können mit der Zeit recht groß werden, es sei denn, sie werden regelmäßig verschnitten, die Wurzeln gekappt oder verpflanzt. Was Heckenpflanzen und Pflanzen für Sichtschutz betrifft, wünscht man im Gegenteil schnelles Wachstum. Gerade ihre Schnellwüchsigkeit macht sie für diesen Verwendungszweck geeignet.

Außer den individuellen Eigentümlichkeiten jeder Art oder Sorte gibt es noch andere Faktoren, die Wuchsgeschwindigkeit und endgültige Größe von Koniferen bestimmen. Dies sind:

Boden — Standort — Klima

Den Einfluß des Klimas kann man sehr leicht dann erkennen, wenn die gleiche Pflanzenart in verschiedenen Ländern mit unterschiedlichem Klima wächst. Unter für die Art günstigen Bedingungen können Wuchsgeschwindigkeit und endgültige Größe doppelt so groß sein wie bei den gleichen Pflanzen unter ungünstigen Bedingungen. Wegen der erfahrungsgemäß großen Variabilität bringen wir im Text nicht immer Angaben zur endgültigen Größe. Für diejenigen, die wenigstens eine ungefähre Größenangabe wünschen, mögen die folgenden Anmerkungen eine Hilfe sein.

Steingartenkoniferen

Pflanzen, die für Stein- oder Heidegarten vorgesehen sind, sollten nach zehnjährigem Wachstum nicht höher als 2 m werden.

Kleine und große Solitäre

Von Koniferen mit mäßiger Wuchsfreudigkeit, die als einzeln stehende Exemplare ausgewählt wurden, läßt sich erwarten, daß sie nach einer gewissen Zeit etwa 2 bis 4 m hoch werden, was allerdings weitgehend von deren Größe zur Zeit der Pflanzung abhängt. Die letzten Endes sehr großen Bäume fangen ihre Lebenszeit mit sehr lebhaftem Wachstum an, das sich dann immer mehr verlangsamt und im Laufe der Jahre das Vollerwerden verursacht.

Einige typische Wuchsformen der Koniferen

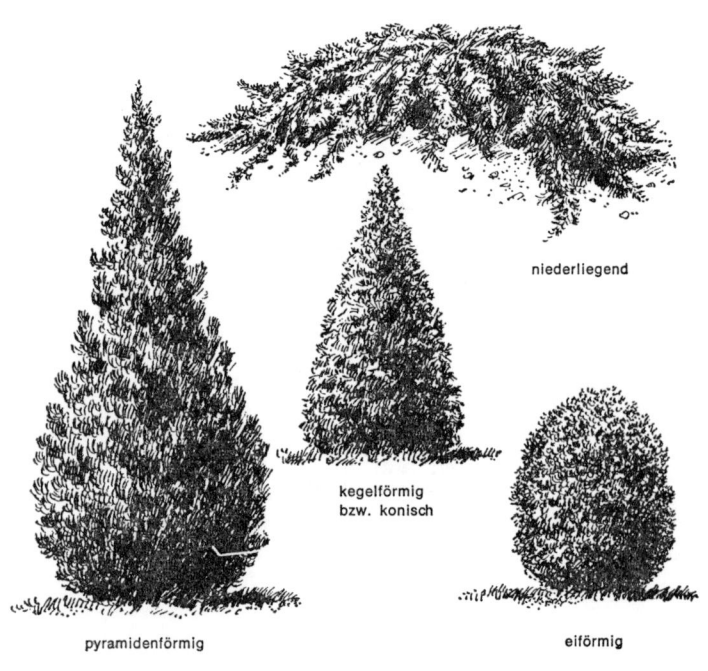

niederliegend

kegelförmig
bzw. konisch

pyramidenförmig

eiförmig

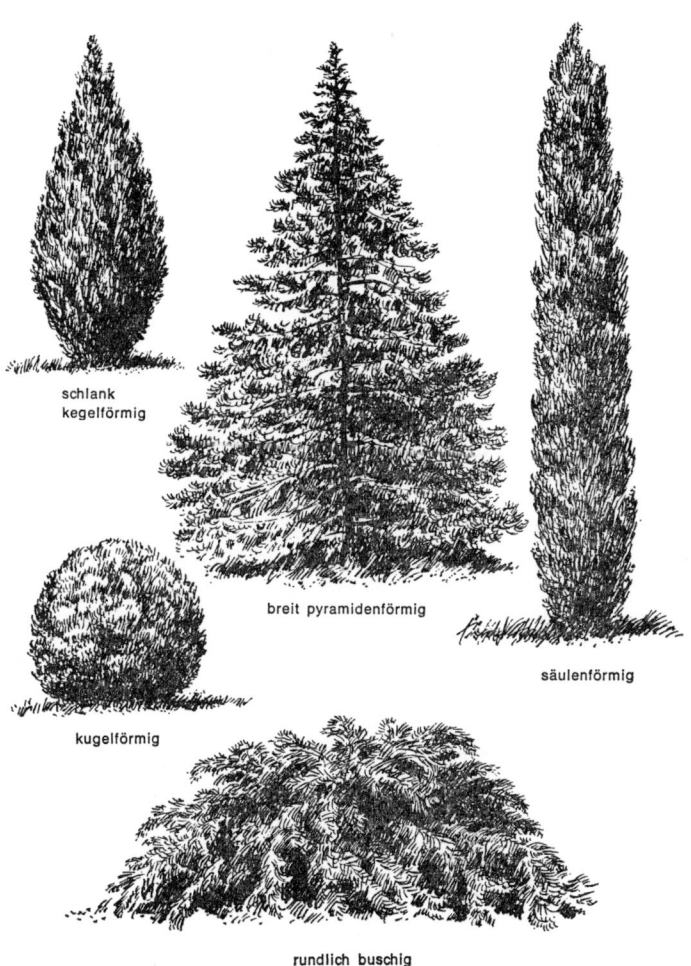

schlank
kegelförmig

breit pyramidenförmig

säulenförmig

kugelförmig

rundlich buschig

67

Hecken und Abschirmung

Bei ihnen zusagenden Bedingungen werden die meisten diesbezüglichen Pflanzen nach etwa fünfjährigem Wachstum ihre endgültige Größe erreicht haben.

Klimazonen nach winterlichen Minimumtemperaturen

Das Arnold Arboretum hat ein System von Winterhärte-Zonen für Nordamerika aufgestellt, dem die niedrigsten winterlichen Durchschnittstemperaturen zugrunde liegen. Diese Klimazonen sind von 1 bis 10 durchnumeriert und ergeben auch einen praktischen Leitfaden für die ungefähre Winterhärte der Koniferen in anderen Teilen der Welt. Wenn wir diese Klimazonen-Ziffern den Beschreibungen hinzufügen, gelten sie nur als ungefährer Hinweis. Pflanzen aus dem Grenzbereich können, wenn sie sehr ungeschützt stehen, bei extremer Wetterlage eingehen. Andere, die geschützter stehen, mögen überleben. Dazu kommen noch andere Faktoren: Trockene oder feuchte Luft sowie das Vorhandensein oder Fehlen einer schützenden Schneedecke. Der größte Teil von Großbritannien gehört zur Klimazone 8. Das heißt, daß alle Pflanzen aus Zone 8 oder darunter das Klima ertragen müßten, sofern sie erst einmal an ihrem Standort Fuß gefaßt haben. Auf unsere kontinentaleren Verhältnisse bezogen, stellt die Klimazone 6 diesen Grenzbereich dar.

Klimazone	1	—45°C
Klimazone	2	—45 bis —37°C
Klimazone	3	—37 bis —28°C
Klimazone	4	—28 bis —23°C
Klimazone	5	—23 bis —20°C
Klimazone	6	—20 bis —15°C
Klimazone	7	—15 bis —12°C
Klimazone	8	—12 bis — 6°C
Klimazone	9	— 6 bis — 1°C
Klimazone	10	— 1 bis + 4°C

1 *Torreya nucifera*

2 *Taxus baccata* 'Semperaurea'   3 *T. bacc.* 'Dovastonii Aurea'

4 *Agathis australis*

5 *Araucaria heterophylla*

6 *Chamaecyparis lawsoniana* 'Fraseri'

7 *Chamaecyparis lawsoniana* 'Hillieri'

8 *Ch. laws.* 'Gnom'   9 *Ch. laws.* 'Minima Aurea'

10 *Chamaecyparis lawsoniana* 'Gimbornii'

11   *Chamaecyparis lawsoniana* 'Westermannii'

12   *Chamaecyparis lawsoniana* 'Lutea'

13   *Chamaecyparis lawsoniana* 'Forsteckensis'

14   *Chamaecyparis lawsoniana* 'Pygmaea Argentea'

15 *Chamaecyparis lawsoniana* 'Fletcheri'

16 *Chamaecyparis lawsoniana* 'Filiformis Compacta'

17 *Ch. laws.* 'Chilworth Silver'   18 *Ch. laws.* 'Ellwood's Gold'

19 *Chamaecyparis lawsoniana* 'Snow Flurry'

20 *Chamaecyparis lawsoniana* 'Duncanii'

21 *Ch. laws.* 'Albovariegata'   22 *Ch. laws.* 'Green Globe'

23 *Ch. obtusa* 'Kosteri'   24 *Ch. obtusa* 'Nana Lutea'

25 *Chamaecyparis pisifera* 'Filifera'

26 *Chamaecyparis pisifera* 'Filifera Aurea'

27 *Chamaecyparis pisifera* 'Filifera Nana'

28 *Chamaecyparis pisifera* 'Compacta'

29   *Ch. pis.* 'Gold Spangle' (vorn), *Ch. pis.* 'Boulevard' (dahinter)

30   *Chamaecyparis pisifera* 'Plumosa Aurea Compacta'

31 *Chamaecyparis pisifera* 'Boulevard'

32 *Chamaecyparis pisifera* 'Squarrosa'

33 *Chamaecyparis pisifera* 'Squarrosa Intermedia'

34 *Chamaecyparis pisifera* 'Plumosa Compressa'

35   *Ch. pis.* 'Snow'   36   *Ch. obtusa* 'Tetragona Aurea'

37   *Thuja occidentalis* 'Ericoides'   38   *Ch. pis.* 'Squarrosa Sulphurea'

39 *Chamaecyparis obtusa* 'Fernspray Gold'

40 *Cupressus arizonica* 'Variegata'   41 *Cupressus a.* 'Pyramidalis'

42   *C. macrocarpa* 'Goldcrest'   43   *C. sempervirens* 'Swane's Golden'

44   *Cupressus macrocarpa* 'Horizontalis Aurea'

45   ×*Cupressocyparis leylandii*

46 *Thuja occidentalis* 'Lutescens'

47   *Thuja plicata* 'Old Gold'

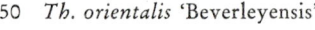

48   *Thuja occidentalis* 'Caespitosa'

49   *Th. orientalis* 'Conspicua'   50   *Th. orientalis* 'Beverleyensis'

51　*Th. orientalis* 'Juniperoides'　　52　*Th. or.* 'Aurea Nana'

53　*Th. occidentalis* 'Rheingold'　　54　*Th. or.* 'Rosedale'

55 *Juniperus communis* 'Compressa'   56 *J. squamata* 'Blue Star'

57 *Juniperus procumbens*

58   *J. procumbens* 'Nana'   59   *J. chinensis* 'Obelisk'

60   *Juniperus sabina* 'Tamariscifolia'

61   *Juniperus communis* 'Hibernica'

62 *Juniperus communis* 'Depressa Aurea'

63 *Juniperus virginiana* 'Grey Owl'

64   *Juniperus×media* 'Hetzii'

65   *Juniperus chinensis* 'Pyramidalis'

66 *Juniperus recurva* var. *coxii*

67 *Juniperus ✕ media* 'Pfitzeriana Aurea'

68 *Cedrus deodara* 'Aurea Pendula'   69 *Abies lasiocarpa* 'Compacta'

70 *Abies balsamea* 'Hudsonia'

71 *Abies pinsapo* 'Glauca'   72 *Abies procera* 'Glauca'

73 *Abies concolor* 'Glauca Prostrata'

74 *Cedrus deodara*

75 *Picea breweriana*

76   *Picea abies* 'Ohlendorffii'   77   *Picea abies* 'Little Gem'

78   *Picea pungens* 'Globosa'

79 *Picea mariana* 'Nana'

80 *Picea abies* 'Nidiformis'

81   *Picea glauca* 'Conica'

82 *Picea abies* 'Echiniformis'

83 *Picea pungens* 'Glauca Prostrata'

84 *Picea omorika*

85   *Picea orientalis* 'Aurea'   86   *Picea mariana* 'Doumetii'

87   *Pinus parviflora* 'Glauca'   88   *Pinus cembroides* 'Globe'

89 *Pinus nigra* (im Hintergrund), *P. mugo* ssp. *pumilio*

90 *Pinus mugo* 'Gnom'   91 *P. leucodermis* 'Compact Gem'

92 *Pinus sylvestris* 'Argentea Compacta'

93   *Pinus densiflora* 'Pumila'

94   *Pinus mugo* 'Mops'

95 *Pinus montezumae*

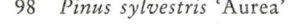

96 *Pinus nigra* 'Hornibrookiana'

97 *Pinus sylvestris* 'Watereri'   98 *Pinus sylvestris* 'Aurea'

99   *Pseudotsuga menziesii* 'Fletcheri'   100   Zapfen von *Pinus muricata*

101   *Pinus mugo*

102 *Sciadopitys verticillata*

103   *Tsuga mertensiana* 'Argentea'

104 *Larix kaempferi* als Bonsai gezogen

105 *Tsuga canadensis* 'Pendula'

106 *Tsuga canadensis* 'Bennett'

107 *Tsuga canadensis* 'Jeddeloh'

108 *Sequoia sempervirens* 'Prostrata'

109 *Sequoia sempervirens* 'Adpressa'

110 *Dacrydium cupressinum*

111 *Cryptomeria japonica* 'Cristata'   112 *C. japonica* 'Sekkan-sugi'

113 *Podocarpus acutifolius*

114   *Podocarpus totara* 'Aurea'

115 *Cryptomeria japonica*

116 *Cryptomeria japonica* 'Compressa'

117 *Cryptomeria japonica* 'Globosa'

118 *Cryptomeria japonica* 'Bandai-sugi'

PFLANZENBESCHREIBUNGEN

GINKGOACEAE · Familie der Ginkgobäume

Ginkgo   Ginkgo

Eine bemerkenswerte Gruppe urzeitlicher Pflanzen, von der es nur noch eine einzige lebende Art gibt. Der Baum wächst mit der Zeit bis zu einer Höhe von 15 bis 30 m heran. Der Ginkgo ist ein sehr winterharter, laubabwerfender Baum mit für Koniferen höchst ungewöhnlichem Laub. Er ist nicht nur botanisch von großem Intersse, sondern wirkt auch außerordentlich dekorativ, gedeiht in den verschiedensten Böden, verträgt sogar Luftverschmutzung und eignet sich daher für Großstadtgärten. Der Wuchs ist aufrecht, für gewöhnlich pyramidenförmig. Die ungeteilten, fächerartigen, ledrigen Blätter sind während der Vegetationsperiode grün und im Herbst, ehe sie abgeworfen werden, leuchtend gelb. Die Bäume sind eingeschlechtlich; es gibt männliche und weibliche. Unter sehr günstigen Bedingungen trägt der weibliche Baum runde Früchte, die zuerst grün sind, mit der Reifung gelb werden und, wenn sie abfallen, einen eigenartigen Geruch ausströmen. Neue Pflanzen werden aus Samen gezogen, die im Frühjahr unter Glas ausgesät werden. Sorten müssen auf aus Sämlingen gezogenen Pflanzen gepfropft werden.

Ginkgo biloba   **Ginkgo**   [Klimazone 4]

Einzige Art aus China, wo sie seit undenklichen Zeiten in Kultur ist und anscheinend wild nicht mehr vorkommt.

G. b. 'Autumn Gold'
Männlicher Klon von sehr regelmäßig konischer Wuchsform. Wurde wegen der herrlichen Herbstlaubfärbung ausgewählt.

G. b. 'Fairmount'
Diese männliche Pflanze besitzt eine ausgeprägte pyramidenförmige Wuchsform.

G. b. 'Fastigiata'
Mit fast aufrecht wachsenden Zweigen. Eine sehr schmale, gerade Form.

G. b. 'Pendula'
Eine sehr seltene Trauerform.

G. b. 'Tremonia'
Eine kegelförmig wachsende Pflanze, die aus Deutschland stammt, wo der winterharte Ginkgobaum sehr geschätzt wird.

TAXACEAE · Familie der Eibengewächse

Taxus   Eibe

Die Eiben sind eine kleine Gruppe immergrüner Koniferen mit dekorativem Laub. Sie sind für ihre Fähigkeit bekannt, auf beinahe allen Böden zu gedeihen, alkalischen wie sauren, vorausgesetzt sie sind gut durchlässig. Mit Ausnahme der golden belaubten Sorten wird ihre Verwendungsmöglichkeit für den Garten noch durch ihre Fähigkeit erweitert, mit schattigen Standorten in Beeten und Beetumrandungen zufrieden zu sein. Auch häufiges Verschneiden stört sie nicht, so daß sie als Heckenpflanzen zu verwenden sind. Die linearen Blätter oder Nadeln sind bei den Arten dunkelgrün und glänzend. Sie sind oft zweireihig angeordnet, obwohl sie an den Trieben radial entspringen. Männliche und weibliche Blüten sind klein, zahlreich vorhanden und entlassen bei Berührung Wolken von Blütenstaub. Nach der Befruchtung entwickeln sich die weiblichen Blüten zu einem nußähnlichen Samen, der auf einer grünen Scheibe sitzt. Diese schwillt bei der Reifung und bildet einen leuchtend roten, fleischigen Becher (Arillus). Der Same ist für Tiere und Menschen äußerst giftig und die Blätter sind es mehr oder minder ebenfalls. Es ist bekannt, daß Pferde durch deren Verzehr getötet wurden, Schafe aber keinen Schaden erlitten. Vermehrt wird durch Anzucht aus Samen, die im Frühjahr sowohl im Freien wie auch unter Glas auszusäen sind. Sorten vermehrt man durch Stecklinge aus ausgereiftem Holz unter Glas. Niedrig wachsende Formen lassen sich durch Absenker bewurzeln. In Baumschulen werden besonders heikle Sorten häufig unter Glas gepfropft.

Taxus baccata   **Gemeine Eibe**   [Klimazone 6]

Wird bis 10 m hoch und ist bei uns gewöhnlich ein großer Busch, wird erst im Alter ein kleiner Baum. Die wenigen noch wild vorkommenden Exemplare werden als „Naturdenkmäler" geschützt. Die Art hat dunkelgrüne, fast schwarze Nadeln, die an den Seitenzweigen zweireihig und an den Haupttrieben radial angeordnet sind.

T. b. 'Adpressa'
Breitwüchsiger Busch mit schmal ovalen, zugespitzten Nadeln, deren Oberseite kräftig grün, deren Unterseite mehr grau ist. Ziemlich langsam wachsend. Manchmal als Zwergform in den Listen aufgenommen, im Laufe der Zeit aber doch größer werdend.

T. b. 'Adpressa Aurea'
Wie die obige, jedoch junge Nadeln golden, später goldgerändert.

T. b. 'Amersfoort'
Eine ungewöhnliche Form mit spärlicher Verzweigung. Die sehr dicht an den kurzen Seitentrieben stehenden, dunkelgrünen Nadeln sind dick und nahezu rund. Langsam wachsende Form, für den Steingarten geeignet. 'Rushmore' ist eine erst in jüngster Zeit eingeführte, reizende kleine Form mit gleichartiger Belaubung. Man entdeckte sie zwischen normalen Sämlingen in Robinsons Baumschule in Knockholt, Kent, England.

T. b. 'Aurea'
Austrieb goldgelb, im zweiten Jahr blaßgrün werdend. Aufrechte, dicht buschige Pflanze, sehr geschätzt als Heckenpflanze oder als gestutztes Einzelexemplar.

T. b. 'Dovastoniana'
Großer, in die Breite gehender Busch oder kleiner Baum mit waagerechten Ästen und hängenden Seitenzweigen, die die dunkelgrünen Nadeln tragen.

T. b. Dovastonii Aurea' Abb. 3
Eine Sorte französischer Herkunft mit gleicher Wuchsform wie bei 'Dovastoniana', jedoch mit gelbgerandeten Nadeln.

T. b. 'Elegantissima'
Eine aparte gelb- und grünbunte Pflanze von kompakter Wuchsform. Es handelt sich um einen weiblichen Klon, der besonders hübsch aussieht, wenn im Herbst seine roten Beeren reif sind.

T. b. 'Fastigiata'
Irländische Säuleneibe
Hier haben wir den bekannten säulenförmigen Wuchs. Die aufrecht wachsenden Äste tragen dunkelgrüne Nadeln. Alte Exemplare besitzen mehrere Seitentriebe und werden nach oben hin breiter.

T. b. 'Fastigiata Aureomarginata'
In der Silhouette wie die oben genannte Form, jedoch die neu erscheinenden Blätter sind reingelb, später haben sie nur einen gelben oder goldenen Rand.

T. b. 'Lutea'
Ein attraktiver weiblicher Klon mit gelben Beeren, die sich ins dunkelgrüne Laub schmiegen.

T. b. 'Nutans' Zwergeibe
Winziger, stark gestauchter, kompakter Busch mit dunkelgrünen, unregelmäßig angeordneten Nadeln. Wird mitunter in Baumschulen als 'Pygmaea' bezeichnet, obwohl es sich dabei um eine andere

Sorte mit hellgrünen Nadeln handelt.

T. b. 'Repandens'
Breite Wuchsform mit grüner Belaubung. Mit ihren nach unten gebogenen Ästen mit hängenden Spitzen eignet sich diese Sorte für auf Rasenflächen stehende Solitärpflanzen.

T. b. 'Semperaurea' Abb. 2
Dichter buschiger Wuchs mit ganz hellgoldener und cremefarbener Belaubung, deren Farbe sich im Wechsel der Jahreszeiten nicht ändert.

T. b. 'Standishii'
Eine aparte, sehr langsam wachsende Pflanze, die sich zu einer kompakten Säule aus leuchtend goldenem Laub entwickelt.

T. b. 'Washingtonii'
Ein sehr breiter Strauch mit offener Verzweigung. Die Nadeln sind blaßgelb, recht lang, an den teilweise hängenden Ästchen aufwärts gebogen.

Taxus cuspidata   **Japanische Eibe**   [Klimazone 4]

In seiner Heimat ein mittelgroßer Baum, im Garten aber fast immer nur ein buschiger Strauch. Langsam wachsend und winterhart. Unterscheidet sich von der häufigeren Gemeinen Eibe durch längere Winterknospen. Die ziemlich ledrigen Nadeln haben eine gelbe Unterseite. Viele Sorten sind in Nordamerika benannt worden. Dort übersteht diese Art den Winter besser als unsere einheimische Eibe.

T. c. 'Nana'
Dicht und breit wachsend. Äste dick, mit kurzen Trieben besetzt und radial angeordneten, dunkelgrünen Nadeln.

Taxus × media   [Klimazone 5]

Hybriden von *T. baccata* und *T. cuspidata* stellen mehr oder minder eine Zwischenform beider Elternpflanzen dar. Härter als die Gemeine Eibe. Die verschiedenen Klone bieten eine Vielfalt an Heckenpflanzen, Solitären und sogar Bodendeckern. Mehr als 20 verschiedene Sorten wurden benannt, die drei hier aufgeführten sind die am häufigsten in den Katalogen erwähnten.

T. × m. 'Hatfieldii'
Benannt nach Mr. Hatfield, der die Kreuzung zuerst vornahm. Sehr dicht wachsend, mit glänzend dunkelgrünen Nadeln.

137

T.×m. 'Hicksii'
Diese Sorte weist die natürliche Kegelform auf und eignet sich gut für Hecken.

T.×m. 'Thayerae'
Schnell wachsend, vasenförmige Wuchsform, mit langen Ästen und glänzend grünem Laub.

Cephalotaxus   Kopfeibe

Eine Gattung immergrüner Sträucher oder kleiner Bäume, deren Arten in Asien wild vorkommen. Sieht den Eiben sehr ähnlich und wurde auch früher der Gattung *Taxus* zugeordnet. Ein Fachspezialist hat sogar *Cephalotaxus* aus der Familie der Taxaceae herausgenommen und eine eigene Familie aufgestellt. Den Hauptunterschied zwischen Kopfeiben und Eiben bilden die eichelähnlichen Früchte der ersteren. *Torreya,* eine andere Verwandte, hat Nadeln, deren Spitzen in einen Stachel auslaufen. Die Kopfeiben eignen sich ebenfalls für schattige Plätze und bevorzugen auch, wie die Eiben, kalkhaltigen Boden. Samen keimen, falls sie zur Verfügung stehen, willig. Sorten werden im Spätsommer unter Glas vermehrt, wenn möglich mit etwas Unterwärme. Absenkervermehrung am Standort ist in vielen Fällen möglich.

Cephalotaxus fortunei   **Fortuns-Kopfeibe**   [Klimazone 7]

Ein großer, aufrechter, buschiger Strauch oder kleiner Baum mit sehr attraktiven, langen, stark glänzenden, grünen Nadeln und großen ovalen Früchten.

Cephalotaxus harringtonia   **Harringtons-Kopfeibe**
[Klimazone 5]

Ähnlich im Habitus wie die zuvor erwähnte Art. Beide sieht man oft als Büsche ohne Hauptstamm. Dieser hier hat kleinere Nadeln von blaßgrüner Farbe.

Cph. h. var. *drupacea*
Eine von den häufiger gesehenen Formen dieser interessanten Gruppe. Sie hat hellgrüne, sichelförmige Nadeln. 'Prostrata' ist ein niederliegender Klon dieser Varietät, der zur Bodenbedeckung an schattigen Stellen sehr brauchbar ist. Verträgt jede Bodenart.

138

Cph. h. 'Fastigiata'
Gleicht in ihrer Form der aufrechten Irländischen Säuleneibe, die auch die gleiche gerade, aufwärtsstrebende Wuchsform hat. Die Zweige tragen Büschel großer, dunkelgrüner Nadeln. Langsam wachsend, aber allmählich doch recht groß werdend, ist dies die winterhärteste Form der Gruppe.

Torreya Nußeibe

Eibenähnliche Bäume, die botanisch höchst interessant sind, während ihre Bedeutung als Gartenpflanzen nicht so groß ist. Das soll aber nicht heißen, daß erwachsene Solitäre mit ihrer roten Rinde und ihrer fast schwarzen Belaubung und den halbhängenden Zweigen nicht ausgesprochen reizvoll aussähen. Die linearen, auffällig tief dunkelgrünen, unterseits gelblichen Nadeln sind ziemlich steif und enden in einer harten Spitze, die bei der Kalifornischen Nußeibe stachelig ist. Die einzelnen Nadeln sind am Trieb radial angeordnet, während sie an den Seitenzweigen scheinbar in zwei einander gegenüberliegenden Reihen stehen. Bei den meisten Arten duften die Nadeln stark. Weibliche und männliche Blüten befinden sich für gewöhnlich auf getrennten Sträuchern. Die kleinen, gelben männlichen Blüten sind auffallend und sitzen in den Blattachseln. Die weiblichen entwickeln sich zu einer eiförmigen, olivenähnlichen Frucht mit einer fleischigen Fruchthülle um einen runzligen Samen. Wie die Eibe und ihre Verwandten enthält auch diese Gattung Pflanzen, die im Schatten stehen können und kalkhaltigen Boden vertragen. Vermehrung am besten durch Samen, die im Frühling in flachen Schalen unter Glas ausgesät werden. Auch Stecklinge bewurzeln sich. Diese sollte man in sandige Kulturerde unter Glas einstecken. Die richtige Zeit dafür ist der Spätsommer.

Torreya californica Kalifornische Nußeibe [Klimazone 7]

Ein Baum, der in seiner Heimat bis 30 m hoch wird. In kühleren Gegenden, wie z. B. England, wird er normalerweise nur ein großer Busch oder ein kleiner, breit pyramidenförmiger Baum. Die ausladenden Äste mit den hängenden Trieben sind mit langen, glänzend grünen, eibenähnlichen Nadeln bedeckt.

Torreya nucifera   **Nußeibe**   Abb. 1   [Klimazone 5]

Dieser große, aus Japan stammende Baum ist wie sein amerikanischer Vetter außerhalb seiner Heimat nur ein großer Strauch, aber lichter im Erscheinungsbild als der vorhergehende und hat kleinere Nadeln. Diese sind dunkelgrün und an den Trieben in gegenüberliegenden Reihen angeordnet, gebogen und enden in einer harten Stachelspitze. Die Samen sind ölhaltig und werden angeblich von den Japanern gegessen.

ARAUCARIACEAE · Familie der Schmucktannen

Agathis   Kaurifichte

Die Kaurifichten, nahe Verwandte der Araukarie, sind auf mehreren im Pazifischen Ozean gelegenen Inseln, einschließlich Australien, Fidschi, Malaysia und Neu Seeland, beheimatet. Auffällig an ihnen ist der dicke, hohe, gerade Stamm, dem häufig bei erwachsenen Exemplaren die unteren Äste fehlen. Die Rinde ist dick und scheidet bei Verwundung eine latexähnliche Flüssigkeit aus. Die Zapfen sind rund, wenn sie reif sind, brechen sie auseinander und Schuppen und Samen fallen gemeinsam ab. Die immergrünen Blätter sind groß, flach, ledrig und bleiben viele Jahre lang am Baum. Vermehrung erfolgt durch Samen, die man, wenn reif, unter Glas aussät.

Agathis australis   **Kaurifichte**   Abb. 4   [Klimazone 9]

Ein eindrucksvoller, in seinem Vorkommen auf Neuseeland beschränkter Baum, der früher wegen seines erstklassigen Holzes beachtliche ökonomische Bedeutung besaß. Außerhalb ihres heimischen Regenwaldes werden die Bäume nicht so groß und geben deshalb attraktive Solitäre in Parks oder Gärten ab. In einem ihnen zusagenden warmen Klima kann mit einer Zuwachsrate von 5 m pro Jahr gerechnet werden. Selbst in England sind sie nicht winterhart und gedeihen bei uns nur als Kalthauspflan-

140

zen. Bei jungen Pflanzen sind die Blätter lindgrün, dick, bis 8 cm lang und 1 cm breit, bei älteren Bäumen sind sie kürzer und dunkler.

Araucaria   Schmucktanne

Diese imposanten Bäume kommen wild nur in der südlichen Hemisphäre vor und sind mit einer Ausnahme — der bekannten Chilenischen Schmucktanne — alle empfindlich. Ihr Wuchs ist symmetrisch. Bei jungen Pflanzen trägt der Stamm bis unten hin Äste. Ältere Pflanzen verlieren meist die unteren Äste und entwickeln sich zu einem aufrecht wachsenden Baum mit schön gerundeter Krone. Männliche und weibliche Blüten stehen gewöhnlich auf getrennten Bäumen. Der fruchtende Zapfen bricht auseinander, wenn er reif ist, und kann sehr groß sein. Er enthält bei den meisten Arten eßbare Samen. Diese Samen bieten die zuverlässigste Form der Vermehrung. Doch kann man es auch mit Stecklingen von Kopftrieben im geheizten Vermehrungskasten versuchen. Letztere Methode wird in Europa angewendet, um *A. heterophylla* zu vermehren.

Araucaria araucana   Chilenische Schmucktanne
(syn. A. imbricata)   [Klimazone 7]

Dieser in England winterharte Baum hält bei uns zwar in günstigen Lagen aus, muß aber als junger Baum geschützt werden. Er wird etwa 10 m hoch oder höher und besitzt im Alter eine dichte breite Krone. Er hat einen kräftigen Stamm, lange weitausladende Äste und dunkelgrüne, stachelspitzige Blätter, die regelmäßig dicht spiralig an den Trieben stehen. Die Chilenische Schmucktanne wurde früher in England überaus häufig angepflanzt. Heutzutage ist sie nicht mehr derartig beliebt. Kleinwüchsige Arten werden ihr vorgezogen. Sie ist schnellwüchsig. Die schönsten Exemplare findet man in ländlichen Gegenden in sicherer Entfernung von der Großstadt und dem Rauch der Fabrikschornsteine.

Araucaria bidwillii   [Klimazone 10]

Wächst wild in den Küstengegenden von Queensland (Australien), wo sie von den Eingeborenen Bunga-Bunga genannt wird.
Ein recht groß werdender Baum mit pyramidenförmigem Umriß.
Junge Pflanzen sehen besonders nett aus. Wenn sie älter werden,
wird ein großer Teil der Belaubung abgeworfen und an den
langen unteren Ästen hängen nur noch an den Enden Büschel
leuchtend grüner Blätter mit scharfen Spitzen. Dieser interessante
Baum ist auch in England nicht winterhart, wird aber oft in Gärten der Mittelmeerländer angepflanzt.

Araucaria heterophylla   **Zimmertanne** Abb. 5
(syn. *A. excelsa*)   [Klimazone 10]

Unter idealen Bedingungen ein großer Baum mit kerzengradem
Stamm und nahezu horizontalen Ästen. Diese tragen zwei Sorten
von Laub: weiche pfriemförmige Nadeln an den juvenilen Trieben und harte, tiefgrüne mit scharfer Spitze an den erwachsenen,
zapfentragenden Zweigen. Die frostempfindliche Sorte 'Gracilis'
mit ihrer leuchtend grünen, cryptomeriaähnlichen juvenilen Belaubung wird oft als dekorative Zimmerpflanze für Töpfe und
Blumenschalen verkauft. Bei warmem Wetter kann sie im Freien
stehen.

CUPRESSACEAE · Familie der Zypressengewächse

Austrocedrus

Diese Gattung enthält nur eine einzige, äußerst attraktive Art;
einen kleinen Baum, der, wie schon der weiter unten erwähnte
Artname besagt, aus Chile stammt. Er wurde früher zu *Libocedrus* gestellt und wird mitunter heute noch als solcher in Katalogen geführt. Er unterscheidet sich aber von *Libocedrus* in Einzelheiten der Belaubung. Ohne nähere Untersuchung könnte man
ihn für *Thuja,* eine andere Verwandte, halten. Männliche und
weibliche Blüten befinden sich auf dem gleichen Baum. Neuanzucht erfolgt aus Samen, Stecklingsanzucht könnte versucht werden.

142

Austrocedrus chilensis [Klimazone 7]

Diese Art sieht man nur selten. Die gut aussehende Pflanze wächst schlank säulenförmig. Die Blätter sind schuppenförmig, blaßgrün und tragen auf der Unterseite eine Zeichnung von grauen Spaltöffnungsbändern. Das Laub sitzt an Flachzweigen, die zum Ende hin stark aufgeteilt sind.

Callitris Schmuckzypresse

Die Schmuckzypressen werden wegen ihrer Fähigkeit, in trockenem Klima wachsen zu können, sehr geschätzt. Wie nicht anders zu erwarten, gedeihen diese schlanken Büsche aus Australien bei uns in Europa allenfalls in Kalthäusern, wo sie Dekorationspflanzen abgeben, oder an den mildesten Seeküsten. In warmem Klima sind die attraktiven Bäume für Gärten sehr zu empfehlen. Die Stämme oder Äste sind lang, schnurförmig und mit winzigen, grünen Blättern besetzt. Blüten beider Geschlechter befinden sich am gleichen Baum, die Zapfenbildung beginnt frühzeitig. Die Vermehrung erfolgt durch Samen oder durch Stecklinge, die man in sandige Kulturerde einsteckt. Doch sollte man für gespannte Luft sorgen, bis das Wachstum eingesetzt hat.

Callitris columellaris [Klimazone 8]

Ein aufrecht wachsender, großer Busch oder mehrstämmiger Baum. Die schnurförmigen Triebe mit ihren schuppenförmigen Blättern geben den außerordentlich dicht stehenden Zweigen einen grauen Schimmer. Als alleinstehender Baum für sehr heiße und trockene Gegenden sehr geeignet.

Callitris oblonga [Klimazone 8]

Wird meist als Strauch, Heckenpflanze oder als Kübelpflanze verwendet. Diese Art hat, wie *C. columellaris*, graues Laub, das aus schuppenartigen Blättern besteht, die an dünnen, zu Büscheln vereinten Trieben sitzen. Die Samen befinden sich in runden, fast schwarzen Zapfen und können zur Anzucht neuer Pflanzen genommen werden.

Callitris rhomboidea   [Klimazone 9]

Von den dreizehn bekannten Schmuckzypressen-Arten sind mit großer Wahrscheinlichkeit allenfalls drei in Kultur anzutreffen. Von diesen dreien ist diese Pflanze die am wenigsten häufige. Die dünnen Zweige sind mit typisch schuppenförmigen Blättern bedeckt, deren Farbe von Blaugrau bis Meergrün variiert. Nur für ganz besonders mildes Klima geeignet.

Calocedrus   Weihrauch- oder Flußzeder
(syn. *Heyderia*)

Wurde ehemals zu *Libocedrus* gestellt. Diese kleine Gattung immergrüner Gewächse steht ebenfalls *Thuja* nahe. Alle drei sind sich äußerlich sehr ähnlich. Bei *Calocedrus* sind die jungen Blätter recht lang, werden später mehr schuppenförmig und stehen in gegenüberliegenden Paaren dicht an den Trieben. An ihren zugespitzten Enden sind sie frei. Die Endtriebe sind abgeflacht und fächerförmig. Blüten beider Geschlechter erscheinen auf dem gleichen Baum. Die kleinen Zapfen reifen schon zum Ende des ersten Jahres. Jungpflanzen können aus Samen und von Stecklingen gewonnen werden. Sorten lassen sich nur durch Stecklinge vermehren. Die Vermehrung kann im geschlossenen Frühbeet erfolgen, das auch den jungen Pflanzen besseren Schutz gewährt.

Calocedrus decurrens   **Kalifornische Flußzeder**
                                                   [Klimazone 5]

Abgesehen von den zwei folgenden Sorten sind die meisten, wenn nicht gar alle in Kultur befindlichen Pflanzen Abkömmlinge der Form 'Columnaris' oder 'Fastigiata'. Diese entwickeln sich zu schlanken, sehr schmalen, säulenförmigen Bäumen von geradezu unverwechselbarem Erscheinungsbild. Mit ihren glänzend grünen Blättern, rötlichen Ästen und rötlichem Stamm wirken sie auf Rasenflächen, sowohl einzeln stehend wie als Gruppen angepflanzt, sehr dekorativ. Die im Südwesten der Vereinigten Staaten wild wachsenden Pflanzen haben eine lockere, mehr offene Wuchsform.

Ca. d. 'Aureovariegata'

Attraktive, langsam wachsende Pflanze mit großen unregelmäßigen Zonen hellgelben Laubes zwischen dem üblichen Grün.

Ca. d. 'Intricata'

Die Pflanze ist amerikanischen Ursprungs. Dieser Sämling ist ein Zwerg und es ist sehr unwahrscheinlich, daß er innerhalb von 10 Jahren 1 m groß wird. Die Pflanze wächst aufrecht. Das Auffallende an ihr ist der goldene Bronzeton der jungen Blätter.

Calocedrus formosana [Klimazone 9]

Im Unterschied zu der vorher beschriebenen winterharten Art hat diese Pflanze eine lockere Wuchsform. Die Blätter sind hellgrün, der Stamm ist weiß. Sie wächst in den lichten Wäldern von laubabwerfenden Gehölzen in Taiwan (Formosa). Solitäre an ähnlichen Standorten Südenglands haben überlebt.

Calocedrus macrolepis [Klimazone 9]

Eine weitere sehr aparte, aber ebenfalls nicht sehr robuste Form, die nur für Gegenden mit sehr mildem Klima geeignet ist. Die hellgrünen Blätter sitzen an den charakteristischen fächerförmigen Flachzweigen.

Chamaecyparis Scheinzypresse

Früher bei *Cupressus* eingeordnet, findet man sie irrtümlicherweise mitunter immer noch dort. Es handelt sich um eine wichtige Gruppe immergrüner Bäume, die — obwohl sie nur wenige Arten enthält — viele hervorragende Gartenkoniferen geliefert hat. Bei den meisten Arten hat die typische junge Pflanze einen kegelförmigen Umriß und wird später dichter und glockenförmig. Bei anderen bleibt die Belaubung nicht bis zum Erdboden hin erhalten, so daß sich ein oder mehrere Stämme bilden. Sämlinge beginnen mit weichen pfriemförmigen Blättern, ehe sie die allgemein bekannten flachen Zweige ausbilden, die aus winzigen stengelumfassenden Schuppenblättern zusammengesetzt sind. Männliche und weibliche Blüten erscheinen auf dem gleichen Baum und die Zapfen reifen(mit Ausnahme von *Ch. noot-*

katensis, bei der es zwei Jahre dauert) noch im gleichen Jahr. Vermehrung erfolgt durch Samen, die auf einem vorbereiteten Gelände im zeitigen Frühjahr ausgesät werden. Sorten müssen vegetataiv vermehrt werden. Das geschieht im Herbst durch Stecklinge im unbeheizten Anzuchtkasten. „Schwierige" Sorten kann man im Frühling unter Glas pfropfen, wobei man aus Samen gezogene Lawson-Scheinzypressen als Unterlage verwendet. Wenn man sie regelmäßig umgesetzt hat, lassen sich alle Mitglieder dieser Gruppe leicht verpflanzen, sogar noch als ziemlich große Solitäre. Die vielen Sorten zeigen außerordentlich starke Abweichungen von der Wildform, sowohl in der Färbung der Blätter als auch in der Wuchsform.

Chamaecyparis formosensis [Klimazone 6]

Das ist der Riese der Gruppe mit einer Höhe von über 70 m, die allerdings nur in seiner Heimat Formosa erreicht wurde, wo der Baum in der alpinen Zone zwischen 2.000 m und 3.000 m Höhe wächst. Er hat eine attraktive Belaubung, die sich ziemlich rauh anfaßt und der von *Ch. pisifera* gleicht; sie ist leuchtend grün mit einem Bronzeton im Herbst, unterseits weiß. Junge Bäume sind frostempfindlich, werden aber mit der Zeit robuster. Trotz ihrer stattlichen Endgröße wächst die Pflanze in kühlerem Klima nur langsam.

Chamaecyparis lawsoniana **Lawsons Scheinzypresse**
[Klimazone 5]

Ein wertvoller Nutzholzbaum, der in Nordamerika bis 60 m hoch wird, und der in England in immer stärkerem Maße zur Aufforstung benutzt wird. Der als Solitäre angepflanzte Baum sieht sehr stattlich aus, er ist schlank pyramiden- oder säulenförmig, die Spitzen der Haupttriebe hängen, die Belaubung ist grün oder graugrün. Seit Lawsons Baumschulen in Edinburgh, Schottland, im Jahre 1854 die ersten Samen aus Oregon und Kalifornien einführten, reißt die Reihe der zahlreichen Varianten nicht ab. Sie erscheinen in allen Farbschattierungen, grün, gelb, silbern, blau und bunt gescheckt. Einige sind groß, andere sind Zwerge. Diese zähe Gruppe ist wohl infolge der enormen Formenmannigfaltigkeit von Farben und Wuchsform zu einer der beliebtesten Gartenkoniferen in Europa geworden. Zwar zeigen sie salzhaltigen Winden gegenüber eine gewisse Empfindlichkeit, im Inland sind sie aber absolut hart. Die schönsten Solitäre sind solche, die im kühlen Klima in feuchten Boden gepflanzt wurden.

Ch. l. 'Albospica'
Konische Wuchsform, langsam wachsend, mit grünem Laub, das an den Spitzen weißbunt ist.

Ch. l. 'Albovariegata' Abb. 21
Hat eiförmige Wuchsform und wird oft als Zwergform angesehen, kann aber im Laufe der Jahre bis 3 m groß werden. Das dunkelgrüne Laub ist reichlich mit weißen Trieben durchsetzt.

Ch. l. 'Alumii'
Eine alte Sorte mit graublauen Blättern, die immer noch häufig angepflanzt wird. Die Äste stehen zuerst dicht und aufrecht. Wenn der Baum größer wird, lockert sich die Wuchsform auf.

Ch. l. 'Aurea Densa'
Eine winzige Zwergpyramide mit weicher, leuchtend goldener Belaubung. Sie wurde erstmalig in der Baumschule von Roger and Sons (früher Red Lodge Baumschule), Southampton, England, herangezogen.

Ch. l. 'Aureovariegata'
Robuster, pyramidenförmiger Baum mit Mengen cremeweißpanaschierter Belaubung zwischen dem normal grünen Laub.

Ch. l. 'Blom'
Eine langsam wachsende Form von 'Alumii', von der sie ein Sport ist. Die Pflanze hat den gleichen aufrechten Wuchs, aber die Belaubung ist leuchtender „blau".

Ch. l. 'Columnaris'
(syn. 'Columnaris Glauca')
Eine elegante Pflanze, die wie eine lang ausgezogene Kirchturmspitze gewachsen ist. Das Laub ist leuchtend blau. Sehr geeignet, wenn nur wenig Platz vorhanden ist.

Ch. l. 'Duncanii' Abb. 20
Diese Pflanze mit ihrer feinen graugrünen Belaubung an schnurförmigen Trieben wurde zuerst in der Baumschule von Duncan and Davis, New-Plymouth, Neuseeland, herangezogen. Der dicht gewachsene Busch hat eine rundliche Form.

Ch. l. 'Ellwoodii'
Sehr bekannte kleine Konifere, die sich für den Steingarten, den Blumenkübel oder als Solitäre auf einer Rasenfläche sehr gut eignet, falls man eine aufrecht wachsende Form wünscht. Sie wächst zwar sehr langsam, kann aber doch erstaunlich groß werden, wenn man sie nicht jährlich etwas zurück-

schneidet. Außer ihr sind noch etliche Mutanten in Kultur, die gleichfalls kompakt und aufrecht wachsen. 'Chilworth Silver' (Abb. 17) oder 'Nyewoods' ist hell silbergrau. 'Ellwood's Gold' (Abb. 18), die in Hilliers Baumschule, West Moors, Dorset, gezogen wird, hat blaß silbriggrünes Laub mit einem goldenen Schimmer, der im Winter noch leuchtender wird. Diese Pflanze braucht einen sonnigen Standort, um kräftige Farben zu entwickeln. 'Ellwood's White' dagegen verbrennt leicht, wenn sie an einen vollsonnigen Standort gesetzt wird, denn die weißen Flecken ihrer sonst grünen Belaubung sind nahezu chlorophyllfrei. 'Ellwood's Pygmy' wächst kugelig und ist eine atavistische Form. 'Fleckellwood', eine neuerdings in Neuseeland herausgebrachte Form, ist aufrecht und hat cremefarbene oder gelbe Flecken.

Ch. l. 'Erecta Alba'
Kräftig wachsende Pflanze, die eine sehr gleichmäßige Pyramide bildet. Verhältnismäßig selten. Alle Zweigenden haben weiße Spitzen.

Ch. l. 'Erecta Aurea'
Die Anordnung des Laubes entspricht der von 'Erecta Viridis', nur sind die Blätter leuchtend golden. Die Pflanze wächst langsam zu einem oben abgeflachten Busch heran und ist erst nach vielen Jahren etwa 1 m groß. Gegen schlechtes Wetter sehr anfällig und gilt als frostempfindlich.

Ch. l 'Erecta Filiformis'
(syn. 'Mason's Erecta')
Eine aufrecht wachsende Form mit schnurförmigen, leuchtend grünen Zweigen. Sie wäre es wert, häufiger angepflanzt zu werden.

Ch. l. 'Erecta Viridis'
(syn. 'Erecta')
Hat leuchtend grünes Laub an aufrechten Flachzweigen. Jungpflanzen sind sehr dicht gewachsen, werden im Laufe der Jahre lockerer. Meist mit mehreren Haupttrieben. Weil die jungen Pflanzen so besonders reizend aussehen, ist dieser Klon sehr beliebt, ungeachtet der Tatsache, daß in späteren Jahren ein Zusammenbinden erforderlich wird, damit die Pflanzen nicht durch Schneelast beschädigt werden.

Ch. l. 'Filiformis'
Als junge Pflanze schmächtig, mit nur spärlichen Zweigen. Später wächst sie zu einer breiten Pyramide, aus schmalen, graugrünen, fadenförmigen Trieben bestehend, heran. Ältere Pflanzen können recht groß sein mit ihren in nikkenden Büscheln hängenden Trieben. 'Filiformis Compacta' (Abb. 16) ist eine Zwergpflanze, die kuppelförmig wächst und deren Belaubung der der vorigen Form gleicht. 'Filiformis Glauca' hat dünne, „blaue" Zweige. Ältere Exemplare sind so hoch wie breit. Alle diese Pflanzen sind sehr viel seltener als die fadenblättrigen Formen der Sawara-Scheinzypresse, die auf S. 159 beschrieben werden.

Ch. l. 'Fletcheri' Abb. 15
Eine beliebte Konifere mit mäßiger Wachstumsrate und Endgröße. Obwohl die semi-juvenile, blaugrüne Belaubung durch Wind Schaden erleiden kann, sieht man das bei Gartenpflanzen nur selten. Die Pflanze bildet dort eine dichte, pyramidenförmige Säule, meist mit mehreren Haupttrieben. 'Fletcher's White' ist eine langsamer wachsende Sorte, die durch hübsche cremeweiße Triebe auffällt. Bei der in Neuseeland gezogenen 'Snow Flurry' (Abb. 19) ist ebenfalls ein großer Teil der normalen grünen Belaubung durch cremefarbene Stellen ersetzt. Wächst sehr lebhaft. 'Yellow Transparent' eine andere Mutante, hat federige, klar gelbe Triebe. 'Gold Splash' hat große, auffallende goldene Flecken in der sonst silbergrauen Belaubung.

Ch. l. 'Forsteckensis' Abb. 13
Eine kompakte Kugel aus dichtem, hellgrünem Laub. Kann durch alljährliches Entfernen von herausragenden Neutrieben in seiner Zwergform erhalten bleiben.

Ch. l. 'Fraseri' Abb. 6
Dieser Klon ähnelt 'Alumii' in bezug auf die stumpfgrünen Blätter. Wird sehr häufig angepflanzt. Eine sehr winterharte, zuverlässige Pflanze von pyramidenförmiger Wuchsform. Die fächerförmigen Zweige stehen zu Anfang fast vertikal.

Ch. l. 'Gimbornii' Abb. 10
Fast kugelförmig, das dunkelgrüne Laub hat malvenfarbene Spitzen. Langsam wachsend, gut geeignet für den Steingarten und Pflanzenkübel.

Ch. l. 'Gnom' Abb. 8
Eine variable Pflanze, die Mr. Don Hatch in seiner ehemaligen Heath End Baumschule, Farnham, Surrey, England, herausbrachte. Die gelungensten Exemplare dieser Pflanze gehören zu den am langsamsten wachsenden aller Lawsons und bilden eine Kugel aus leuchtend grünem Laubwerk. Unsere Pflanze mißt nach 12 Jahren noch keine 30 cm. 'Green Globe' (Abb. 22) ist ihr sehr ähnlich und wurde unabhängig von der vorigen in Palmers Baumschule, Glen Eden, Auckland, Neuseeland, herangezogen.

Ch. l. 'Golden King'
Diese unverkennbar goldene Konifere stammt aus Holland. Der Baum ist von mittlerer Größe, säulen- bzw. pyramidenförmig mit abgerundeter Spitze. Die großen hängenden, blaßgelben Laubbüschel bekommen bei Kälteeinwirkung leicht einen Bronzeton.

Ch. l. 'Grayswood Pillar'
Eine extrem schmale, bleistiftartige Säule mit blaßgrünem Laub an vertikal stehenden Zweigen.

Ch. l. 'Green Hedger'
Dicht und aufrecht wachsend mit leuchtend grünem Laub. Die Pflan-

ze stammt von einem Sämling, der von Jackmans Baumschule, Woking, Surrey, England, wegen der Verwendbarkeit als Heckenpflanze ausgewählt wurde.

Ch. l. 'Green Pillar'
Ein hellgrüner, pyramidenförmiger Baum mit mäßiger Wachstumsgeschwindigkeit. Obwohl die Äste sehr gerade aufsteigen, leidet die Pflanze nicht, wie man erwarten könnte, an Schneebruch.

Ch. l. 'Hillieri' Abb. 7
Diese ist wahrscheinlich die beste aller Lawsons. Die Triebe sind lichtgelb und federig, der Baum ist mittelgroß.

Ch. l. 'Imbricata Pendula'
Dieser in Neuseeland gezogene Klon hat die auffallendste und doch graziöseste Wuchsform der Gruppe. Das blaßgrüne, peitschenförmige Laub hängt in langen Schnüren herunter und bildet eine elegante Trauerform.

Ch. l. 'Intertexta'
Ein großer, sehr elegant aussehender Baum mit hängenden, in sehr regelmäßigen Abständen gewachsenen Ästen. Die Belaubung ist dunkelgrün mit bläulichem Anflug. Eine alte Sorte, die schon seit über 100 Jahren in Kultur ist.

Ch. l. 'Kilmacurragh'
Aus Irland stammend, ist dieser wohl der schönste der aufrechten und säulenförmigen Vertreter dieser Gruppe. Aber zum Unterschied

von 'Erecta Viridis' werden bei dieser Sorte die ganz aufrecht stehenden Zweige nur wenig vom Naßschnee beschädigt.

Ch. l. 'Knowefieldensis'
Diese sehr langsam wachsende Pflanze bildet einen oben abgeflachten Hügel aus dunkelgrünem, ziemlich derbem Laub.

Ch. l. 'Kooy'
Ein aufrechter, blau bereift wirkender Baum von mäßiger Wachstumsgeschwindigkeit und mit regelmäßiger konischer Wuchsform.

Ch. l. 'Lane' (syn. 'Lanei')
Eine prächtige, licht goldgelb belaubte Pflanze von aufrechtem Wuchs. Sehr geeignet als Solitärexemplar oder für eine besonders kostbare Hecke.

Ch. l. 'Lutea' Abb. 12
Eine sehr alte Sorte, die immer noch häufig angepflanzt wird. Belaubung reingelb, an fedrigen Seitenzweigen. Der Baum wächst zu einer Säule mit breiter Basis heran.

Ch. l. 'Lycopodioides'
Eine fremdartig anmutende Pflanze mit dünnen, grünen, zylindrischen Seitenzweigen, die häufig gedreht und gewunden aussehen. Wird schließlich ein großer Busch mit nahezu dreieckiger Silhouette.

Ch. l. 'Minima'
Eine langsam wachsende Form mit dicht stehenden, aufrechten, fächerförmigen Zweiglein und leicht

grün bereiftem Laub. Sehr gut für den Steingarten oder Container.

Ch. l. 'Minima Aurea' Abb. 9
Diese Kostbarkeit ist eine reingelbe Version der vorangegangenen Sorte. Als langsam wachsende Form ist diese kleine goldene Konifere sehr beliebt für den Steingarten.

Ch. l. 'Minima Glauca'
Ein dicht wachsender, runder Busch, der nur sehr langsam die Höhe von 1 m erreicht. Die nach oben und nach den Seiten wachsenden, fächerförmig gebüschelten Zweige mit tiefgrünem, etwas bereiftem Laub gehen strahlig vom kurzen Stamm aus.

Ch. l. 'Nana' (syn. 'Nana Glauca')
Vermutlich der am häufigsten angepflanzte Vertreter der 'Minima' Gruppe. Die erwachsene Pflanze erkennt man an dem hohen Hauptstamm und der ausgeprägten Spitze. Bei guten Wachstumsbedingungen entwickelt die Belaubung einen schönen reifartigen Schimmer.

Ch. l. 'Nidiformis'
Ein runder Busch ohne Hauptstamm mit einer Einbuchtung in der Mitte, so daß er in der Form entfernt an ein riesiges, grünes Vogelnest erinnert. Eventuell zu groß für einen kleinen Standort.

Ch. l. 'Pembury Blue'
Diese bildhübsche Neueinführung hat hell silbergraue Blätter. Sie wächst zu einem mittelgroßen, aufrechten Baum heran und wirkt offener und pyramidenförmiger als sein in Holland gezogenes Pendant 'Columnaris'.

Ch. l. 'Pottenii'
Mit weicher, hellgrüner, halbjuveniler Belaubung und zigarrenförmiger Wuchsform. Gute Wachstumsbedingungen und freier Raum rings um den Baum sind notwendig, sonst wird der untere Teil des Baumes leicht unansehnlich.

Ch. l. 'Pygmaea Argentea'
(syn. 'Backhouse Silver') Abb. 14
Ein kleiner, ziemlich kugelförmiger Strauch mit dunkelgrünem, in silbrigweißen Spitzen endendem Laub. Eine vorzügliche Miniatur, die bei James Backhouse, York, England, zum Ende des 19. Jahrhunderts herangezogen wurde.

Ch. l. 'Rogersii'
(syn. 'Nana Rogersii')
Prächtige grünblaue Belaubung an einer langsam wachsenden Pflanze, die ihre perfekte Wuchsform aber nur beibehält, wenn sie regelmäßig beschnitten wird. Wenn man sie sich selbst überläßt, wird der Strauch oft einen Hauptstamm mit sehr derbem Laub ausbilden.

Ch. l. 'Silver Queen'
Diese breit pyramidenförmig wachsende Pflanze hat weit ausladende Zweige mit blaßgrünen Blättern, die einen kräftigen weißen Schimmer aufweisen. Die Pflanze sieht im Frühsommer besonders hübsch aus, wenn der elfenbeinfarbige

Maiwuchs erscheint. Ähnlich in der Färbung sind auch 'Limelight' und die ganz neue 'Moonlight'!

Ch. l. 'Smithii'
Obgleich sie in ihrer Jugend nur ein lockerer Busch ist, wächst diese goldene Lawson zu einer dichten aufrechten Säule heran.

Ch. l. 'Spek' (syn. Spek's Glauca')
Wurde in der Baumschule von Jan Spek, Boskoop, Niederlande, herangezogen. Diese Pflanze hat stahlblaue, bereift wirkende Blätter und wird ein kräftiger, aufrechter und pyramidenförmiger Baum.

Ch. l. 'Stewartii'
Ein eleganter, winterharter, kegelförmiger Baum. Die gelben Zweige werden zur Basis hin grünlich. Wird überall in der Welt gern angepflanzt und stammt ursprünglich aus der Baumschule von Daniel Stewart and Sons von Ferndown, Dorset.

Ch. l. 'Tamariscifolia'
Rundlicher Strauch ohne Hauptstamm mit grünen, weit ausladenden Zweigen, der oft mit 'Nidiformis' verwechselt wird, da die Wuchsform ähnlich ist. Eine sehr wünschenswerte Bereicherung des Gartens, ganz gleich, ob in einer Gruppe stehend oder einzeln als Blickfang.

Ch. l. 'Tharandtensis Caesia'
Diese runde, buschartige Konifere wird oft für den Steingarten gewählt, kann aber mit der Zeit für diesen Standort zu groß werden. Laub tiefblau bereift, an dicken, dicht stehenden Trieben.

Ch. l. 'Triomf van Boskoop'
Ein häufig angepflanzter, blaugrüner, mit silbernem Reif überzogener Klon, der — wenn herangewachsen — einen großen, locker säulenförmigen Baum bildet. Alte Exemplare verlieren unweigerlich die unteren Äste.

Ch. l. 'Versicolor'
Aufrecht wachsend, mit breiter Basis. Die grünen Blätter sind gelb gestreift, so daß die Pflanze aus der Ferne blaßgelb erscheint.

Ch. l. 'Westermannii' Abb. 11
Ebenfalls breit pyramidenförmig, aber mit großen, schweren Trieben gelben Laubes und goldenen, hängenden Spitzen. Eine nicht besonders schnellwachsende, aber schließlich doch recht groß werdende Pflanze. Ideal als Solitärpflanze.

Ch. l. 'Winston Churchill'
Langsam wachsender, aufrechter Baum mit der klassischen Pyramidenform, doch manchmal mit abgerundeter Krone. Wunderbar sattgelbes Laub. Wir haben die Originale in Hoggers Baumschule, Felsted, Surrey, England, oft bewundert, wo er 1945 als Sämling vorgestellt wurde.

Ch. l. 'Wisselii'
Ein aufrechter Baum mit sehr lebhaftem Wachstum, der mit keinem

anderen verwechselt werden kann. Am grauen Stamm sitzen die Äste zerstreut und sind mit dunkelgrünen, farnähnlichen Laubbüscheln besetzt.

Ch. l. '**Youngii**'
Pyramidenförmiger, groß werdender Baum. Das dunkelgrüne Laub wird an wedelartigen Zweigen getragen.

Chamaecyparis nootkatensis — Nutka-Scheinzypresse
[Klimazone 4]

In der Natur sind alte Bäume dieser Art sehr groß und die Stämme sind im unteren Teil mehrere Meter hoch ganz frei von Ästen. In der Kultur sieht man sie meist als schlanke Pyramiden, die erst in späteren Jahren voller werden. Die Äste sind ausgebreitet. Das grüne Laub faßt sich etwas rauh an. Die Seitenzweige sind jung aufwärts gerichtet und später halbhängend mit nickenden Spitzen. Die Pflanzen sind winterhart und ergeben gute Gartenpflanzen, sofern man Wert auf schnelles Wachstum und einen zuletzt großen Baum legt. Im allgemeinen ist die Nutka-Scheinzypresse nicht sehr anspruchsvoll in Hinsicht auf den Boden, obwohl sie feuchte Standorte den trockenen vorzieht. Die runden Zapfen brauchen zwei Jahre bis zur Reife; jede der vier bis sechs Schuppen schützt jeweils zwei bis vier Samen. Die Samen können zur Aufzucht junger Pflanzen benutzt werden. Aber alle Sorten werden normalerweise gepfropft, wobei *Thuja orientalis* als Unterlage dient.

Ch. n. '**Compacta**'
Eine sehr langsam wachsende Sorte in Form eines lockeren Busches mit hellgrünem Laub.

Ch. n. '**Glauca**'
Aufrecht pyramidenförmiger Baum mit grün bereifter Belaubung. Diese ist wahrscheinlich die am häufigsten vorkommende von allen aufgeführten Formen.

Ch. n. '**Lutea**' (syn. Aurea')
Eine prächtige, langsam wachsende

Pflanze mit lebhaft gefärbtem Laub. Die Zweiglein tragen reingoldene Blätter, die später gelbgrün werden. Manchmal sieht man auch 'Aureovariegata' mit grünen, gelb gestreiften Blättern sowie einigen reingelben Trieben. Bei 'Variegata' oder 'Argenteovariegata', wie sie mitunter auch genannt wird, hat das Laub weiße Sprenkel.

Ch. n. '**Pendula**'
Als Jungpflanze ist sie eine Au-

genweide. Dieser wunderschöne Baum hat weitausladende, horizontale Zweige, von denen die blaßgrünen Seitenzweige in zwei Reihen vorhangähnlich herunterhängen.

Chamaecyparis obtusa Feuer- oder Hinoki-Scheinzypresse
[Klimazone 3]

In seiner Heimat Japan und Taiwan liefert dieser Baum wertvolles Nutzholz. In der Forstkultur kann er eine Höhe von 50 m erreichen, wobei die kerzengeraden, rötlichbraunen Stämme an ihrer Basis einen Umfang von 3 bis 6 m haben können. Die dicht gedrängt stehenden Seitenzweige tragen tiefgrünes, unterseits helleres Laub. Die Blätter sind dick und fleischig, schuppenförmig und stumpf. Die Hinoki-Scheinzypresse ist auch in Japan schon lange als Gartenschmuck kultiviert worden. Einige Formen wurden von dem Pflanzensammler und Gärtner John Gould Veitch 1861 nach England gebracht und andere folgten später. Obwohl die Art sehr groß wird, sind die meisten Sorten, die wir pflanzen, entweder zwergig oder mittelgroß. Fast alle sind für den Garten mittlerer Größe geeignet. Die besten Erfolge wird man erzielen, wenn man sie in einen feuchten, kalkfreien Boden pflanzt. Vermehrung der zahlreichen Cultivare kann durch Stecklingsbewurzelung unter Glas im Herbst geschehen. Ein großer Teil der in den Handel gebrachten Pflanzen sind Pfropfungen auf der Lawsons-Scheinzypressen-Unterlage, was auch unter Glas und zwar üblicherweise zum Ende des Winters vorgenommen wird.

Ch. o. 'Albospica'
Die weißen, neuen Triebe dieser dichten, aufrechten Form bilden einen reizvollen Kontrast zum älteren grünen Laub.

Ch. o. 'Aurea'
Eine japanische Pflanze mit typisch pyramidenförmigem Umriß, Flachzweige mit sattgelbem Laub tragend. Wurde in der Mitte des vorigen Jahrhunderts in den westlichen Ländern in Kultur genommen.

Ch. o. 'Bassett'
Sehr selten. Diese kleinwüchsige Form wächst zu einem rundlichen, kleinen Strauch mit tiefgrünem Laub heran.

Ch. o. 'Caespitosa'
Diese Minikonifere, eine englische Züchtung, zieht man am besten

im Haus, wo das hellgrüne Laub, das diese kugelige Pflanze trägt, nicht so leicht faulen kann, als wenn man sie in feuchtem Klima ins Freie pflanzt.

Ch. o. 'Chabo-yadori'
Eine erst jüngst aus Japan eingeführte Pflanze mit grünem Laub. An den ungleich langen Zweigenden sind sowohl Jugend- wie Altersblattformen vorhanden. Wächst langsam zu einem rundlichen Strauch heran.

Ch. o. 'Compacta'
Eine seltene Pflanze, kegelförmig gewachsen, mit tiefgrüner Belaubung.

Ch. o. 'Coralliformis'
Die Belaubung sieht korallenähnlich aus und windet sich auf den Zweiglein dieser ungewöhnlichen Form hin und her.

Ch. o. 'Crippsii'
Diese wunderbare, in der Jugend offen wachsende Pflanze entwickelt sich später zu einem kleinen, manchmal breit pyramidenförmigen Baum. Die goldgelbe Belaubung sitzt an graziösen, auseinanderspreizenden Trieben mit nikkenden Spitzen.

Ch. o. 'Fernspray Gold' Abb. 39
Ein in Neuseeland herangezogener Klon, bei dem das hellgelbe Laub an Flachzweigen sitzt. Zuerst langsam wachsend, wird die Pflanze schließlich ein großer Busch mit pyramidenförmigem Umriß.

Ch. o. 'Filicoides'
Ungewöhnlich flache Triebe. Laub dunkelgrün, farnähnlich. Ein lokker wachsender, eher struppiger Busch. Wenn man eine gut aussehende, dicht gewachsene Solitäre erzielen will, muß die Pflanze jährlich rigeros zurückgeschnitten werden.

Ch. o. 'Goldspire'
Ein aufrechter, schmal pyramidenförmiger Baum. Der Maiwuchs ist blaßgelb und bleibt so während einer ganzen Vegetationsperiode. Diese Form wurde zuerst 1963 durch die Firma L. Konijn aus Reeuwijk, Boskoop, Niederlande, eingeführt, die in den letzten Jahren eine ganze Anzahl ausgezeichneter Koniferen selektiert und in den Handel gebracht hat.

Ch. o. 'Hage'
Ebenfalls eine Pflanze holländischen Ursprungs. Sie entwickelt sich zu einem dichten Kegel aus winzigen, leuchtend grünen Blättern, die auf leicht gedrehten Zweiglein stehen. Eine sehr hübsche Zwergform.

Ch. o. 'Intermedia'
Diese winzige Kostbarkeit bildet eine Art Halbkugel aus hellgrünen Blättern. Die Pflanze benötigt einen Standort mit gutem Wasserabzug und steht, um sich gut entwickeln zu können, besser nicht zu nahe an den üblichen Steingartenpflanzen.

Ch. o. 'Juniperoides'
Kompakte und dichte, kugelige Form. Dieser Klon eignet sich in sehr feuchtem Klima besser für die Topfkultur.

Ch. o. 'Kosteri' Abb. 23
Eine der besten Zwerg-Hinokis. Sie hat dicke, glänzend dunkelgrüne Blätter, die in schalenförmigen Trieben angeordnet sind und bei Kälte oft eine Brauntönung annehmen. Wächst mit den Jahren zu einem aufrechten, unten breiten Busch heran, der aber nur selten einen regelmäßigen Umriß hat.

Ch. o. 'Lycopodioides'
Auch eine japanische Form, die sich zu einem gerundeten, ziemlich offenen Zwergstrauch entwickelt. Die glänzend grüne, schnurförmige Belaubung bildet an großen Teilen der Pflanze Hahnenkämme, besonders an den Enden der schlanken Seitenzweige. 'Lycopodioides Aurea' ist eine noch langsamer wachsende Pflanze von gleicher Wuchsform, aber mit blaßgelbem Laub.

Ch. o. 'Mariesii'
Auch ein Zwerg. Die dichte Pyramidenform wird von hellgrünem Laub gebildet, das reichlich mit cremefarbenen Trieben durchsetzt ist.

Ch. o. 'Minima'
Diese ist die winzigste aller in Kultur befindlichen Koniferen. Sie wird oft mit der Heide *Calluna vulgaris* 'Foxii Nana' verwechselt.

Die Pflanze bildet ein dichtes Nadelkissen aus lichtgrünem Laub. Sie entfaltet sich am besten geschützt stehend oder auch in einer Blumenschale oder im Steingarten.

Ch. o. 'Nana'
Von den Japanern seit Jahrhunderten kultiviert und geschätzt. Im Westen um 1860 eingeführt, ist diese Zwergform jetzt weltweit beliebt. Wächst sehr langsam zu einem rundlichen, oben abgeflachten Strauch heran. Die dunkelgrüne Belaubung sitzt an schüsselförmigen, aufwärtsgerichteten Trieben.

Ch. o. 'Nana Aurea'
Eine erstklassige, langsam wachsende, goldene Form der vorangegangenen Pflanze, wächst aber aufrecht und offener und bildet schließlich eine kleine Pyramide.

Ch. o. 'Nana Gracilis'
Diese Pflanze hat leicht gedrehte, muschelförmige Zweiglein mit glänzend grünem Laub und ist die beliebteste und am häufigsten gesehene Vertreterin der Gruppe. Sie ist äußerst anpassungsfähig und kann vielseitig verwendet werden. Sie eignet sich für den Heide- oder den Steingarten oder auch für eine Blumenschale. Wir haben sogar gesehen, daß sie zur Anpflanzung einer hübschen, niedrigen Hecke genommen wurde. Die Pflanze wächst langsam, ist zuerst gedrungen und dann breit pyramidenförmig.

Ch. o. 'Nana Lutea' Abb. 24
Diese langsam wachsende Form ist die farbigste der Spezies. Sie ist im Wuchs dichter als 'Nana Aurea'. Die fast flachen, abgerundeten Zweiglein mit reingelbem Laub (das an der Basis zu Weiß verblaßt) bilden schließlich eine sehr kompakte Säule. Diese Pflanze sieht besonders reizvoll aus, wenn man sie in ein Beet mit im Winter blühenden Heiden setzt.

Ch. o. 'Nana Pyramidalis'
In den Niederlanden aus den Samen der Sorte 'Nana Gracilis' herangezogen und immer noch selten zu bekommen. Sehr langsam wachsend. Die winzigen, tiefgrünen, becherförmig angeordneten Zweiglein stehen in dichten horizontalen Schichten.

Ch. o. 'Pygmaea'
Ein Klon, der mit seinen hellgrünen Blättern und den damit farblich kontrastierenden orangefarbenen Zweigen sehr charakteristisch ist. Die Seitenzweige sind offener fächerförmig als bei den meisten anderen. Obwohl die normalerweise im Handel angebotenen, gepfropften Pflanzen recht wüchsig sind, werden sie doch in den meisten Fällen für die Standorte, die für Zwergkoniferen in Frage kommen, nicht zu groß. Mit der Zeit wachsen sie zu einem flachen runden Busch heran, der bei strengem Wetter einen rostigbraunen Ton annimmt. 'Pygmaea Aurescens' ist ein Sport, der gelblichgrüne Triebe besitzt, die einen bleibenden Bron-

zeschimmer haben. Große Erwartungen setzt man in einen anderen reingelben Sport der letzteren.

Ch. o. 'Repens'
Ein weiterer Sport, diesmal von 'Nana Gracilis', wächst als kleiner Strauch mit seitwärts gerichteten Zweigen, fast niederliegend, hat hellgrüne Blätter an winzigen, becherförmig angeordneten Zweiglein.

Ch. o. Rigid Dwarf'
Eine seltene Pflanze, die sehr langsam zu einer winzigen Säule aus steif aufwärts gerichteten, kleinen Zweigen heranwächst. Belaubung dunkel. Erreicht innerhalb von 25 Jahren noch nicht einmal die Höhe von 1 m.

Ch. o. 'Sanderi'
Ein langsam wachsender Zwerg, der ausschließlich Jugendlaub trägt. Die Pflanze sieht den anderen Mitgliedern dieser Gruppe so wenig ähnlich, daß man viele Jahre lang annahm, sie würde zu den Wacholdern gehören. Die ziemlich dicken Blätter, die an gedrungenen Zweigen stehen, sind im Sommer meergrün und färben sich zu Anbruch der kalten Jahreszeit purpurn. Damit die Pflanze gedeiht, sollte man ihr einen geschützten Standort geben, denn sie ist empfindlicher als die anderen der Gruppe.

Ch. o. 'Spiralis'
Wuchsform steif und aufrecht, langsam wachsend, mit dunkelgrü-

nem Laub an gedrehten Trieben. Gut geeignet für Schalen und Tröge.

Ch. o. 'Tetragona Aurea' Abb. 36 Diese sehr ornamentale Sorte kam um 1870 aus Japan. Langsam wachsend, aber nicht eigentlich eine Zwergform, es sei denn, die Pflanze würde regelmäßig zurückgeschnitten. Das aufrechte, lockere Zweigsystem trägt Flachzweige, die mit ihrem am Ende glänzend blaßgelben Laub hahnenkamm- oder moosähnlich wirken. Die Spitzen werden bei kaltem Wetter kräftig orange. Auch diese Form braucht einen geschützten Standort.

Chamaecyparis pisifera oder **Sawara-Scheinzypresse**

Erbsenfrüchtige Scheinzypresse
[Klimazone 3]

Wurde 1859 gemeinsam mit einigen Sorten aus Japan in die Niederlande eingeführt und kam zwei Jahre später nach England. Aus Sports und Sämlingen dieser Art ist eine variable Reihe von Gartenformen entstanden, darunter viele sehr geschätze Zwergformen. Der Typus selbst, ein Baum, der in England bis über 20 m hoch werden kann, ist heute kaum noch in Kultur und angepflanzt sieht man ihn auch nur selten. Dagegen sind die Sorten sehr beliebt. Die Art wächst kegelförmig, in der Jugend mit breiter Basis und entwickelt sich im Laufe der Zeit zu einem anmutig aussehenden Baum. Die Belaubung ist leuchtend grün bis gelb-lohfarben. Die unteren, mitunter etwas hängenden Zweige bilden manchmal von selbst Absenker, wenn sie den Boden berühren. Die einzelnen Schuppenblätter fassen sich rauh an und riechen harzig, wenn man sie zerdrückt. Das Laub sitzt an rötlichen Trieben. Die gleiche Farbe hat der rauhe Stamm. In seiner Heimat wird das aromatische Holz für Tischlerarbeiten verwendet.

Die kultivierten Pflanzen können nach ihrer Belaubung in vier deutlich zu unterscheidende Gruppen eingeteilt werden:

Gruppe 1
pisifera: mit adulten Blättern (Altersblättern)
Gruppe 2
squarrosa: mit juvenilen Blättern (Jugendblättern)
Gruppe 3
plumosa: mit intermediären Blättern, einer Blattform, die eine Zwischenform zwischen Jugend- und Altersblättern darstellt.

Gruppe 4
filifera: mit fadenförmigen Zweigen

Die Vermehrung erfolgt vom ruhenden Holz im Kalthaus. Man muß dabei unbedingt Material von der typischen Wuchsform wählen, sonst wird man möglicherweise eine untypische Pflanze erhalten.

Ch. p. 'Aurea'
Japanische Form mit Altersbelaubung. Häufig anzutreffen. Junge Blätter sind goldgelb und werden später grünlich. Bei kaltem Wetter wird die ganze Pflanze gelbbraun.

Ch. p. 'Aurea Nana'
Eine langsam wachsende Zwergkonifere, für den Steingarten geeignet. Dort bildet sie einen Busch mit abgerundeter Spitze und goldgelbem Laub.

Ch. p. 'Boulevard' Abb 29, 31
Wurde 1934 als *Retinospora pisifera squarrosa cyano-viridis* von einer amerikanischen Firma, Boulevard Baumschule, eingeführt und ist mit Recht eine der beliebtesten Gartenkoniferen geworden. Obwohl sie mit der Zeit recht groß werden kann — Einzelexemplare von 6 m sind bekannt — wird sie doch normalerweise für den Steingarten und den Heidegarten verkauft. Ihre Höhe läßt sich durch häufigen Schnitt regulieren. Die weiche, hell blaugraue Belaubung entwickelt sich am besten an Pflanzen in saurem Boden oder im Kalthaus. In trockenen oder windigen Gebieten sollte man ihr einen teilweise schattigen Standort geben. Für kalkhaltigen Boden ist sie nicht sehr geeignet. Die Pflanzen zeigen dann, daß sie sich nicht wohlfühlen, indem sie eine schmutzig braune Farbe annehmen, die im Winter besonders schlimm ist.

Ch. p. 'Compacta' Abb. 28
Langsam wachsende, rundliche Zwergform mit krausen Zweiglein und blaugrüner, unterseits deutlich weißer Altersbelaubung, die im Winter oft braun getönt ist. Sollte nicht mit der viel dichter wachsenden 'Nana' verwechselt werden, die später beschrieben wird.

Ch. p. 'Compacta Variegata'
Von ähnlicher Gestalt wie die obige, jedoch häufig lockerer im Wuchs. Diese hier hat goldene oder cremefarbene Sprenkel und Flecken in ihrer grünen Belaubung. Bei kaltem Wetter wirkt sie attraktiver, weil dann die Mehrfarbigkeit stärker zum Ausdruck kommt. Wenn eine dieser beiden Sorten mit den Jahren zu offen wird, kann man sie ausgraben und tiefer einsetzen, so daß die untere Belaubung am Boden beginnt.

Ch. p. 'Filifera' Abb. 25
Diese Sorte wächst zu einem

159

Busch mit breiter Basis oder zu einem kleinen Baum heran und hat lange, weitausladende, hängende Äste. Die Seitenzweige sind peitschenförmig und tragen leuchtend grüne Blätter. Beide Sorten — diese und ihr goldenes Gegenstück (nachfolgend) — sind eindrucksvolle „Landschafts"-Bäume für den kleineren Garten. 'Filifera Nana' (Abb. 27) ist ein kleines, gedrungenes Ebenbild.

Ch. p. 'Filifera Aurea' Abb. 26
Eine etwas langsamer wachsende Form der obigen mit rein gelben Trieben. 'Golden Mop' wächst langsam, wird dicht und selten höher als 1 m.

Ch. p. 'Gold Spangle' Abb. 29
Wird oft für einen Zwerg gehalten, kann aber, wenn auch langsam wachsend, bis zu 5 m hoch werden. Das zitronengelbe Laub wirkt in seiner Form ausgereifter als bei 'Filifera Aurea' (der Elternpflanze). Ein Teil der Triebe hängt in nickenden, dichten Büscheln.

Ch. p. 'Nana'
Eine der kleinsten von allen Koniferen. Wächst als niedrige, dichte Halbkugel, sich aus zusammendrängender, dunkelgrüner, intermediärer und juveniler Belaubung zusammensetzend.

Ch. p. 'Nana Variegata'
Eine Form der obigen mit gelblich grünem Laub, durchsetzt mit weißer Panaschierung.

Ch. p. 'Plumosa'
Aufrecht wachsende Form mit pyramidenförmigem Umriß. Die Blätter sind hellgrün, halb-juvenil und die Zweige fedrig oder farnwedelartig, bei Berührung nicht so rauh wie beim Typus. Für Hecken sehr geeignet, verträgt den Schnitt gut.

Ch. p. 'Plumosa Albopicta'
Ähnlich wie die obige, nur mit kleineren, kräftig grünen Zweigen, die reichlich mit Weiß betupft sind.

Ch. p. 'Plumosa Aurea'
Diese Form sieht man recht oft. Die jungen Blätter sind leuchtend gelb und werden bei Kälteeinbruch bräunlich. Dichte, aufrechte Wuchsform. Einige Gärtner bieten 'Plumosa Aurea Nana' an. Es handelt sich hierbei um eine variable Pflanze (möglicherweise von verschiedenen Klonen stammend). Sie ähnelt 'Plumosa Aurea', wächst nur langsamer. Diese goldenen Pflanzen werden oft mit der folgenden verwechselt.

Ch. p. 'Plumosa Aurea Compacta' Abb. 30
Ein dichter, kompakter, rundlicher Busch, der, obwohl aufrecht wachsend, breiter als lang ist. Laubfarbe wie bei der vorigen, nur hält sich die hellgelbe Phase länger, in warmen Ländern das ganze Jahr über.

Ch. p. 'Plumosa Compressa'
Abb. 34
Die winzigste der Pflanzen. Sie bildet einen dichten Ball fast ausschließlich mit Blättern der Jugendform, die blaßgelb oder grünlich sind, und oft einen blauen Schimmer haben. Die schönsten Exemplare sind die, bei denen man jeden vorspringenden Trieb mit der Schere abschneidet.

Ch. p. 'Plumosa Flavescens'
Gleicht 'Plumosa', hat jedoch gelblich-weiße Blätter, die an beschatteten Teilen der Pflanze grün werden.

Ch. p. 'Plumosa Rogersii'
Dichte Zwergform. Wächst zu einem perfekten Kegel heran, mit weichen, leuchtend gelben Jugendblättern. Wegen ihrer adretten Wuchsform und ihrer leuchtenden Farbe ist sie eine erstklassige Pflanze für den Steingarten.

Ch. p. 'Snow' Abb. 35
In Japan entwickelt, bildet diese Pflanze eine dichte Kugel mit hellblauer, moosähnlicher Belaubung sowie weißen Spitzen und Flekken. Die chlorophyllfreien Teile der Pflanze leiden so sehr unter Brandflecken, daß gute Exemplare ständig unter Glas gehalten werden.

Ch. p. 'Squarrosa' (vielfach bekannt als 'Squarrosa Veitchii')
Abb. 32
Pyramidenförmig. Die ausladen-den Äste haben nickende Spitzen. Dicht und buschig gewachsen. Die blaugrauen, ausschließlich jugendlichen Blätter fühlen sich weich an. Wenn man die Pflanze natürlich wachsen läßt, wird sie mit der Zeit ein großer Strauch oder kleiner Baum. Durch regelmäßiges Schneiden kann man sie kleiner halten.

Ch. p. 'Squarrosa Dumosa'
Ein sehr hübscher Zwerg mit rundlichem Umriß und sehr dichter blaugrauer Belaubung, die bei Kälte bronzefarben wird.

Ch. p. 'Squarrosa Intermedia'
(syn. 'Blue Dwarf') Abb. 33
Eine etwas sonderbare, doch, wenn gut im Wuchs, recht attraktive Pflanze. Sie bildet einen dichten, sich ausbreitenden Hügel aus weichen, hellblauen Jugendblättern mit teilweise atavistischen schnurförmigen, grünen Trieben, die über die gerundete Oberfläche hinausragen. Diese müssen alljährlich abgeknipst werden, ehe sie eine entstellende Altersbelaubung und harte Zweige entwickeln.

Ch. p. 'Squarrosa Sulphurea'
Abb. 38
Ähnlich wie 'Squarrosa' mit Ausnahme der weichen, schwefelgelben Belaubung. Diese Sorte wurde in den Niederlanden in der Firma Koster Bros (bekannt durch Kosters Coloradofichte) aufgezogen. Sie braucht einen hellen, sonnigen Platz, um die schöne Laubfärbung beizubehalten.

161

Chamaecyparis thyoides   **Weiße Scheinzypresse**

[Klimazone 3]

Ein Baum von pyramidenförmigem Wuchs, dessen natürliches Vorkommen auf die Küstenregionen der südlichen Vereinigten Staaten beschränkt ist. Dort wird der Baum etwa 25 m groß. In Mitteleuropa bleibt er kleiner. Die wenigen Exemplare dieser Pflanze, die in England in Kultur sind, werden selten mehr als 10 m hoch und sind verhältnismäßig kurzlebig. Es werden zwei verschiedene Farbvarianten herangezogen, deren fächerförmige Seitenzweige entweder grüne oder blaugrüne Blätter tragen. Die Art ist sehr winterhart, gedeiht gut in sumpfigem Boden, dagegen sagt ihr aber sehr kalter Boden nicht zu. Der Typus kann aus Samen gezogen werden. Die wenigen Sorten vermehrt man im Herbst durch Pfropfungen unter Glas.

Ch. t. 'Andelyensis'

Vor mehr als einem Jahrhundert in Les Andelys, Frankreich, herangezogen. Diese Pflanze wächst langsam und bildet mit der Zeit eine aufrechte, gewöhnlich sehr schmale Säule. Die dichten Zweige tragen tief dunkelgrüne Blätter, die in kleinen, fächerförmigen Büscheln angeordnet sind. Sieht im Frühjahr besonders hübsch aus, wenn sie über und über mit winzigen, leuchtend roten, männlichen Blüten betupft ist. 'Andelyensis Nana' wächst langsamer, bildet im Laufe der Jahre zahlreiche Hauptstämme und wächst sich zu einer ausgedehnten Gruppe aus, die breiter als hoch ist.

Ch. t. 'Aurea'

Eine aufrechte, breit konische Pflanze, allgemein etwas schütter wirkend. Die blaßgelbe Belaubung bildet die typisch fächerförmigen Büschel an den orangefarbenen Trieben. Wenn die trübe, winterliche Jahreszeit beginnt, werden die Blätter grünlich.

Ch. t. 'Ericoides'

Bei dieser buschigen Pflanze mit weicher, juveniler Belaubung vollzieht sich alljährlich ein Farbwechsel, wenn der blaugrüne Neuzuwachs des Sommers mit Einbruch der kalten Jahreszeit satt purpurn wird und die Triebe sich violett färben. Wenn man die Pflanze mit anderen langsam wachsenden Formen, besonders solchen mit goldener Belaubung, zusammenpflanzt, ergeben sich fabelhafte Farbkontraste. Ist im ungünstig gelegenen Garten etwas empfindlich gegen Wind.

Ch. t. 'Glauca'

Eine Farbselektion des Typus, die wegen ihrer grau schimmernden Blätter gezogen wird. Aufrecht und langsam wachsend. Lockere, offene Wuchsform. Erträgt auch nasse Standorte.

Ch. t. 'Variegata'
Ähnlich wie die vorige Sorte, aber mit Büscheln reingelber zwischen der normalen Belaubung. Eine gute Pflanze für eine größere Gruppe. Sieht jedoch etwas dürftig aus, wenn man sie einzeln pflanzt.

× *Cupressocyparis*

Eine kleine Gruppe von Hybriden zwischen *Chamaecyparis* und *Cupressus,* die nur als Kulturformen vorkommen. Die Leyland-Zypresse, die einzige Hybride, die vielenorts gepflanzt wird, wurde zu Beginn dieses Jahrhunderts bekannt, hat aber ihre Beliebtheit erst in den letzten Jahren erlangt. Vermehrung erfolgt durch Stecklingsbewurzelung in sandiger Erde unter Glas. Das kann zu fast jeder Zeit des Jahres erfolgen; wir persönlich bevorzugen dafür den Spätsommer.

× *Cupressocyparis leylandii*   Leyland-Zypresse   Abb. 45
[Klimazone 4]

Diese Hybriden zwischen *Cupressus macrocarpa* und *Chamaecyparis nootkatensis* sind große, spindelförmige Bäume. Mit ihrer Belaubung und den Flachzweigen ähneln sie der Nutka-Scheinzypresse, nur sind die Flachzweige etwas länger und schmaler. Die einzelnen Blätter sind klein und schuppenförmig. Leyland-Zypressen sind als Sichtschutz oder für hohe Hecken, die schnell wachsen und immergrün sein sollen, von größtem Wert. Versuchsweise werden sie sogar in der Forstwirtschaft erprobt, wo ihre Winterfestigkeit und ihre Fähigkeit, Dürreperioden zu überstehen, getestet werden. Was die zuletzt erwähnte Eigenschaft betrifft, so hat die Pflanze in einer Versuchsschonung von einer Versuchsanstalt der Regierung Neuseelands nicht nur eine Dürreperiode überlebt, bei der sogar die daneben angepflanzte *Pinus radiata* einging, sondern sogar noch Neuzuwachs gezeigt. Die ersten Pflanzen wurden in Nordwales gezogen, aber auch aus Irland und Dorset, England, kamen Klone.

×*Cu. l.* 'Castlewellan'
Eine reizvolle Neuentwicklung mit hell goldgelber Belaubung.

×*Cu. l.* 'Green Spire' (Klon 1)
Bildet sehr schnell eine Säule aus leuchtend grünem Laub.

163

×*Cu. l.* 'Haggerston Grey'
(Klon 2)
Eine der beiden häufigsten angepflanzten Sorten. Sie hat dunkel
graugrüne Blätter, die in dichten,
unregelmäßigen Trieben stehen.

×*Cu. l.* 'Leighton Green'
(Klon 11)
Die zweite der beiden Formen,
die man sehr häufig angepflanzt
sieht, und die der obigen im Erscheinungsbild sehr ähnlich ist.
Manche sind der Ansicht, daß diese sich leichter bewurzelt.

×*Cu. l.* 'Naylors Blue' (Klon 10)
Nur selten in Katalogen aufgeführt, es lohnt sich aber, nach ihr
zu suchen. Die jungen Blätter haben einen grauen Schimmer.

×*Cu. l.* 'Stapehill'
Diese Form entstand unabhängig
von den anderen und wurde 1940
von der Baumschule Barthelemys,
Stapehill, Wimborne, England,
eingeführt. Sie wächst zu einer
lichten Säule heran, deren braune
Zweige hellgrünes Laub tragen.

Cupressus   Zypresse

Die Zypressen sind ornamental wirkende, immergrüne Koniferen.
Meist haben sie als junge Pflanzen einen schlanken, aufrechten
Wuchs, der im Alter offener wird. In Gegenden mit mildem
Klima verwendet man sie gern für Schutzhecken, weil sie Schutz
vor Sonne und Wind bieten. Die echten Zypressen sind aber
weniger winterhart (besonders solange sie noch jung sind) als die
Mitglieder der *Chamaecyparis-* Gruppe, mit der sie oft in Ver-
bindung gebracht werden. Man sollte die Pflanzen deshalb vor
kaltem Wind schützen, bis sie sich gut eingewöhnt haben. Das
Alterslaub ist winzig, schuppenförmig und liegt den Ästchen
dicht an. Das Jugendlaub ist mehr offen, federiger. Die Zapfen
sind verhältnismäßig groß und rund und reifen gewöhnlich im
zweiten Jahr. Sie bleiben aber noch nach dem Ausfallen der
Samen mehrere Jahre lang am Baum. Die Samen der Arten
keimen sehr willig, sowohl in Töpfen unter Glas wie auch an
einer geschützten Stelle im Freien. Stecklinge der Sorten sind
nicht leicht zum Bewurzeln zu bringen. Die Stecklingsvermehrung
erfolgt während des Sommers unter Glas. Besonders heikle Formen werden in Baumschulen manchmal zu Ende des Winters gepfropft. Sämlinge von *Cupressus macrocarpa* dienen als Unterlage. Da nur wenige Wurzeln gebildet werden, lassen sich viele

Exemplare als große Pflanzen nicht ohne weiteres verpflanzen und aus diesem Grund sind in Töpfen angezogene Pflanzen zu bevorzugen.

Cupressus arizonica **Arizonazypresse** [Klimazone 6]

Die in Kultur befindlichen Pflanzen entstammen wahrscheinlich der Varietät *glabra,* die sehr ähnlich ist. Der Baum ist dicht pyramidenförmig, die Rinde des dicken Stammes ist rötlich, die Zweige tragen hellsilbrige Belaubung. Eine prachtvolle Pflanze für warme und trockene Standorte. Wenn sie sich erst einmal richtig eingewöhnt hat, ist sie auch recht winterhart.

Cu. a. 'Aurea'
Pyramidenförmiger Baum mit breiter Basis und gelbgetöntem Laub. 'Golden Pyramid' ist eine verbesserte Sorte, noch satter in der Farbe, eine sehr dichte, aufrechte Säule bildend.

Cu. a. 'Hodgins'
(syn. 'Hodgins Variety' oder 'Hodginsii')
Kräftig wachsend mit offener Verzweigung, die dicht mit hartem, hell silbergrauem Laub besetzt ist. Eine wirklich hervorragende Sorte, die von der Firma Hodgins Bros, Melbourne, Australien, entwickelt wurde.

Cu. a. 'Pyramidalis'
(syn. 'Conica) Abb. 41
Diese ist die beliebteste Sorte der Gruppe. Sie bildet sehr schnell eine Spindel aus lichtblauem Laub. 'Blue Pyramid' ist eine neu eingeführte verbesserte Ausgabe.

Cu. a. 'Variegata' Abb. 40
Diese seltene Pflanze hat auffallende, große weiße Flecken zwischen der typischen blauen Belaubung. Sie braucht einen geschützten Platz, damit die chlorophyllfreien Teile nicht durch Wind und Sonne leiden.

Cupressus cashmeriana **Tränenzypresse** [Klimazone 8—9]

Ein eleganter Baum mit aufwärts gerichteten Ästen und pyramidenförmigem Umriß. Die herabhängenden Seitenzweige haben Flachtriebe mit hellgrauem, fast weißem Laub. Leider ist diese eine der am wenigsten winterharten Formen der Gruppe und als Freilandpflanze nur für wirklich frostfreies Klima geeignet. In solchen Gegenden wird sie als Solitäre sehr eindrucksvoll wirken.

Cupressus funebris   [Klimazone 8—9]

Dieser Baum stammt aus Zentralchina, wird aber dort nicht
häufig angepflanzt. Wurde früher in Europa gern zur Dekoration von Wintergärten benutzt, wofür man junge Sämlinge mit
ihrem weichen, leuchtend blauen Laub auswählte. Ältere Pflanzen haben Flachzweige, die ähnlich aussehen wie die der Cha-
maecyparis-Gruppe.

Cupressus lusitanica   **Mexikanische Zypresse**
                                        [Klimazone 8]

Sehr schnell wachsend und in warmem, ausgeglichenem Klima als
Schutzhecke sehr geeignet. Der gerade Stamm hat eine rötliche
Rinde, ausladende Äste und graues Laub an nickenden Trieben.
Die hübschen Zapfen wirken blau bereift und werden bei der
Samenreifung braun. Die Pflanze wird schon seit langer Zeit in
Kalthäusern Großbritanniens wegen ihres dekorativen jungen
Laubes gezogen. Früher glaubte man, sie stamme entweder aus
Portugal oder aus Goa, einer ehemaligen portugiesischen Kolonie
im westlichen Indien. Heute weiß man, daß es sich um eine
Wildpflanze aus Mexiko handelt.

Cu. l. var. *benthami*
Dieser mexikanische Baum stellt
eine deutlich zu unterscheidende
Form dar und wird heute möglicherweise öfter angepflanzt als die
Art selbst, wahrscheinlich deshalb,
weil seine Wuchsform gefälliger
wirkt. Er bildet eine schmale Pyramide. Die grauen Schuppenblätter sitzen an wedelartigen Trieben.

Cupressus macrocarpa   **Monterey-** oder **Lambertzypresse**
(syn. *C. lambertiana*)   [Klimazone 7]

Sie ist nur für milde Küstenstriche zu empfehlen. Sie hat als
Wildpflanze ein sehr begrenztes Verbreitungsgebiet im südlichen
Kalifornien, ist aber in der Kultur verbreitet. Das verdankt sie
ohne Zweifel ihrer Verwendbarkeit als Abschirmhecke. Nirgend-
wo wird sie deshalb mehr geschätzt, als in Küstenbereichen, wo
es gilt, salzhaltige Winde abzuhalten. Sie wächst sehr schnell:
aufrecht pyramidenförmig in der Jugend, während alte, einzeln
stehende Exemplare oft sehr knorrig sind. Die grüne, ziemlich

schüttere adulte Belaubung sieht man nur an solchen alten Pflanzen, die sich natürlich entwickeln konnten. Zurückgeschnittene junge Pflanzen behalten oft ihre weiche juvenile Belaubung bei. Es gibt einige faszinierende Miniaturklone, die aber nur selten von spezialisierten Gärtnereien aufgeführt werden und auch zu selten sind, um hier erwähnt zu werden. Die Vermehrung der Art aus Samen ist einfach. Die Samen können zu dritt oder viert in einen kleinen Topf gesät werden. Nach der Keimung wird verzogen, so daß nur der kräftigste Keimling stehen bleibt. Sorten werden durch Stecklingsbewurzelung vermehrt, was manchmal schwierig ist.

Cu. m. 'Aurea'
Aufrecht, dicht, mit ausladenden Zweigen und leuchtend goldener Belaubung. Die Pflanze wurde in Australien aufgezogen und braucht, wie alle durch Laubfärbung wirkenden Klone, einen vollsonnigen Standort, um die Farbwirkung optimal entfalten zu können. 'Fine Gold' und 'Sunshine' sind zwei neu aus Neuseeland dazugekommene Varianten, die auch in diese Gruppe gehören.

Cu. m. 'Conbeari'
(syn. 'Aurea Saligna')
Eine sehr ungewöhnliche, großwüchsige, buschige Pflanze mit hellgoldener Belaubung, die an langen, nickenden, schnurförmigen Zweigen sitzt, und die in der Form an die dickstengelige, schnurblättrige Sawara-Scheinzypresse erinnert.

Cu. m. 'Donard Gold'
Herausgebracht von der Slieve Donard Nursery Co. of Newry, Nordirland. Diese Form wächst zu einer dicken Säule mit sattgelbem Laub heran. Es handelt sich um eine sehr verbesserte Form von 'Lutea', der ursprünglichen gelben Abart. 'Goldcrest' (Abb. 42) von der Firma Treseders of Truro, Cornwall, England, herausgebracht, ist ein Schmuck für den Garten. Der leuchtend gelbe Farbton des federigen Laubes wird bei kaltem Wetter intensiver. In ihrer Form ähnelt sie mit ihren fast vertikalen Ästen der Echten Zypresse sehr, nicht jedoch in der Farbe. Ganz neu eingeführt wurden 'Gold Cone' und 'Golden Pillar'.

Cu. m. 'Horizontalis Aurea'
Abb. 44
Wurde früher von australischen und neuseeländischen Baumschulen als *C. lambertiana* 'Aurea' geführt. Die Pflanze zeigt eine ungemein leuchtende, goldgelbe Färbung. Die dichte Belaubung steht an horizontalen oder nur leicht aufwärts gerichteten Zweigen. Eine sehr ausdrucksvolle Solitäre für die Rasenfläche oder auch für eine Sockelbepflanzung.

Cu. m. 'Lutea'
Groß, pyramidenförmig, mit eher offener Spitze. Die jungen Blätter sind hellgelb und werden zum Herbst hin blaßgrün. Diese Pflanze sollte man nur wählen, wenn man ein alleinstehendes, großes Exemplar wünscht. Ansonsten ist diese Form von Sorten mit leuchtenderen Farben und gedrungenerer Wuchsform verdrängt worden (siehe 'Donard Gold' oben).

Cupressus sempervirens　Echte Zypresse　[Klimazone 7]

Diese im Süden Europas beheimatete Pflanze ist sehr variabel. Es kommen zwei unterschiedliche Hauptformen vor: die eine hat weitausladende Zweige und die andere wächst als schlanke Säule. Einige Botaniker glauben, daß die erstere die ursprüngliche Wildform der Pflanze ist, andere bezeichnen sie als var. *horizontalis.* Sowohl in Gärten wie noch in wirklich wild wachsendem Zustand sieht man sie oft als an der Spitze abgeflachte Bäume, meist wirken sie wie vom Wind gepeitscht. Auch die zweite Hauptform kann man noch natürlich wachsen sehen; die dunklen Spindeln sind ein typischer Bestandteil italienischer oder griechischer Landschaft. Ihr Laub ähnelt dem von C. *macrocarpa,* ist aber feiner, mit kleineren, charakteristischen Schuppenblättern.

Cu. s. 'Stricta'
Eine schmale, dunkelgrüne Säule vertikaler Äste. Gedeiht am besten in einem nährstoffarmen, warmen Boden mit gutem Wasserabzug. Für eine Pflanze mit so regelmäßigem Umriß finden sich in Gärten viele Verwendungsmöglichkeiten: als Solitäre oder für eine Allee, für eine Hecke, die kein Verschneiden benötigt, oder sogar für einen Innenhof, auch für die Terrasse als Kübelpflanze. Dieser Gruppenname umfaßt alle schmalen, aufrechten Formen, denn die Sämlinge kommen meist typenecht heraus. Winterhart sind sie als junge Pflanzen nicht einmal in England.

Cu. s. 'Gracilis'
Diese Sorte der Echten Zypresse, die in Neuseeland herausgebracht wurde, soll eine verfeinerte Abart mit weichen grünen Blättern sein. Da sie nur durch Stecklinge und nicht durch Samen vermehrt wird, ist ein gleichbleibendes Material gewährleistet. Das ist sehr wesentlich, wenn eine gepflegte, regelmäßig aussehende Hecke angelegt werden soll.

Cu. s. 'Swane's Golden' Abb. 43
Von der Firma Swane Bros, New South Wales, Australien, herausgebracht. Es handelt sich um eine hellgelbe, bleistiftschlanke Abart der Echten Zypresse. Da sie langsamer wächst als die grüne Form, eignet sie sich sogar für den allerkleinsten Garten.

Cupressus torulosa **Himalaja-Zypresse** [Klimazone 8]

Ein mit der Zeit groß werdender Baum, der aus dem nördlichen Himalaja und dem westlichen China stammt. Ausgewählte Klone wachsen in kurzer Zeit zu symmetrischen Solitären heran, die für die Anpflanzung in Rasenflächen in warmem Klima geeignet sind. Das Laub ist dunkelgrün und sitzt an Flachzweigen, die in Büscheln an den Enden der aufwärts gerichteten Äste stehen.

Cu. t. 'Corneyana'
Mehr hängend als der Typus, mit unregelmäßig stehenden Seitenzweigen. Die Wuchsform des erwachsenen Baumes ist gleichmäßig konisch.

Juniperus   Wacholder

Immergrüne Koniferen von sehr unterschiedlichem Aussehen. Es gehören dazu sowohl niederliegende, kriechende Büsche als auch große Sträucher und kleine Bäume. Einige der baumförmigen Vertreter sind sogar groß genug, um Nutzholz zu liefern. Da die wild vorkommenden Arten meist auf der nördlichen Hemisphäre beheimatet sind, erweisen sich sehr viele Wacholder bei uns als winterhart. Einige erfordern jedoch etwas Schutz, bis sie richtig angewurzelt sind. Die aromatischen Blätter sind pfriem- bzw. nadelförmig und stechend, solange sie noch im Jugendstadium sind. Die Altersbelaubung ist schuppenförmig und liegt eng am Stengel an. Häufig erscheinen beide Blattformen gemeinsam an der gleichen Pflanze. Einige Pflanzen (besonders der Gemeine Wacholder) behalten auch als erwachsene Pflanzen größtenteils juvenile Belaubung. Fast alle Wacholder ergeben gute Gartenpflanzen. Da die Gattung mehr natürliche Zwergformen enthält als alle anderen, sind die Wacholder besonders für die Gärten geeignet, wo der Raum beschränkt ist. Außerdem sollte man auch die Tatsache erwähnen, daß mehrere wilde Arten in der Natur auf Kalkböden beheimatet sind und sich in Kultur auf entsprechenden Böden gleichfalls wohlfühlen, obwohl dies für ihr Gedeihen nicht unbedingt lebensnotwendig zu sein scheint. Jeder einigermaßen wasserdurchlässige Boden sagt ihnen zu, ganz gleich, ob er fruchtbar oder nährstoffarm ist. Aufrecht wachsende Formen eignen sich für Solitäre oder für eine gemischte Randbepflanzung, die niedrig wachsenden dagegen sind für Böschungen oder den Steingarten geeignet. Die Blüten beider Geschlechter stehen je nach Art entweder am gleichen Baum oder an verschiedenen Pflanzen. Die Zapfen oder Früchte sehen beerenähnlich aus, bestehen aber in Wirklichkeit aus fleischigen Schuppen. Oft reifen sie innerhalb eines Jahres, mitunter erst im zweiten. Die Samen, die jahrelang lebensfähig bleiben, keimen sehr unzuverlässig, deshalb werden die Bestände normalerweise durch Stecklinge vermehrt. In Baumschulen werden auch mitunter Pfropfungen angeboten. Da aber Stecklinge im Herbst in sandiger Erde unter Glas so bereitwillig anwurzeln, sollte man die Pfropfmethode dem Fachmann überlassen.

Juniperus chinensis **Chinesischer Wacholder** [Klimazone 4]

Eine variable, meist große Art aus China und Japan. Aufrecht säulen- oder pyramidenförmige Wuchsform. Vertreter des Typus sieht man nur selten, die Pflanzen haben graugrüne Blätter, juvenile sowohl wie adulte sind gleichzeitig vorhanden, sogar bei alten Bäumen.

J. ch. 'Aurea'
Eine sehr dichte, konische Form mit rein goldgelber Belaubung. Wird zwar mit der Zeit recht groß, wächst aber doch langsam genug, um für Gartenzwecke geeignet zu sein.

J. ch. 'Japonica'
Eine dicht gewachsene und sehr stachelige Zwergform. Fast alle Zweige tragen Jugendblätter mit scharfen Spitzen. Gleichzeitig sind einige herausragende, etwas hängende Triebe vorhanden, die schuppenartige Altersblätter tragen. Die Farbe der Pflanze variiert von einem satten Grün zum Gelblichen hin, das Ganze mit einem reifartigen Schimmer überzogen.

J. ch. 'Kaizuka' (syn. 'Torulosa')
Eine attraktive Pflanze mit mehr oder weniger aufrechten Ästen und

unregelmäßigen Büscheln von Zweigen mit tiefgrünen Blättern. Durch gezieltes Verschneiden kann man reizvolle Solitäre formen. 'Kaizuka Variegata' oder 'Variegated Kaizuka' ist wegen der auffallend gelben Flecken zwischen der sonst normal graugrünen Belaubung bemerkenswert.

J. ch. 'Obelisk' Abb. 59
Eine schmale, aufrechte Säule aus dicht stehenden, blaugrauen, juvenilen Blättern. Dieser kleine Baum ergibt einen guten Blickfang in einem Heidegarten, kann aber auch — in einen großen Blumenkübel gepflanzt — zur Dekoration der Terrasse dienen.

J. ch. 'Oblonga'
Ein stacheliger Strauch mit rundlichem Umriß. Da er als ein Sport von 'Japonica' entstand, kann er als Zwergform dieser Pflanze betrachtet werden.

J. ch. 'Pfitzeriana'
Die Autoren dieses Buches sind der Auffassung, daß es sich bei den Sorten des Pfitzeriana-Typs um Abkömmlinge von einer natürlichen Hybride, *J.×media*, handelt und ordnen sie deshalb unter diesem Hybridnamen ein.

J. ch. 'Plumosa'
Für die Plumosa-Sorten gilt das gleiche, wie zuvor bei der Pfitzeriana-Gruppe ausgeführt.

J. ch. 'Pyramidalis' Abb. 65
Eine schnell wachsende Pflanze von schmaler Kegelform. Die grün bereiften Jugendblätter stechen sehr stark. Wie andere Pflanzen dieser Gruppe sollte man ihnen genügend Raum geben, damit sie sich optimal entwickeln können. Wenn man sie zu dicht setzt, breitet sich leicht der Pilz Botrytis auf dem Laub aus und die Pflanze wird dadurch auf einer Seite kahl.

J. ch. 'San Jose'
Mit graugrünen, vorherrschend juvenilen Blättern. Eine wertvolle, winterharte, fast niederliegende Sorte.

J. ch. 'Stricta'
Sehr elegant, dicht kegelförmig wachsend, mit weichen, blaugrünen Jugendblättern. Ein Schmuck für jeden Heidegarten.

J. ch. 'Variegata'
(syn. 'Albovariegata')
Dieser kegelförmige Busch hat eingesprengte Flecken weißbunten Laubes.

Juniperus communis   Gemeiner Wacholder [Klimazone 2]
Eine winterharte, variable Art mit einem ausgedehnten Verbreitungsgebiet innerhalb der nördlichen Hemisphäre. Die Belaubung ist ausschließlich juvenil, pfriemförmig und stechend. Männliche und weibliche Blüten sitzen auf getrennten Pflanzen; die letzte-

ren tragen die blauschwarzen Beeren, aus denen, wenn sie reifen, das wohlbekannte Aroma für den Gin gewonnen wird.

J. c. 'Compressa' Abb. 55
Diese extrem langsam wachsende, winzige, grüne Säule ist besonders geeignet für den allerkleinsten Steingarten oder eine Böschung.

J. c. 'Depressa Aurea' Abb. 62
Eine Zwergform mit weit auseinanderspreizenden Zweigen und nickenden, reingelben jungen Trieben, die im Herbst eine altgoldene Tönung annehmen. Bei kaltem Wetter bekommt die ganze Pflanze einen purpurfarbenen Bronzeton.

J. c. 'Depressed Star'
In der Wuchsform wie die vorige, doch sind Neutriebe und Laub durchgehend hellgrün. Es handelt sich um einen von der kanadischen Subspezies var. *depressa* ausgewählten Klon.

J. c. 'Hibernica' Abb. 61
Eine allgemein bekannte, dichte und schlanke Säule aus tiefgrünem Laub. Sehr geeignet für solche Plätze, an denen sie sich natürlich entwickeln kann, ohne daß sie verschnitten werden muß. Ebenso geeignet aber auch für den heimischen Heidegarten, wo ihr schlanker, aufrechter Umriß die ebene Linie der Heidepolster unterbricht. Kalte, dem Wind zugängliche Standorte sollte man vermeiden.

J. c. 'Hornibrookii'
Eine zuerst niederliegende Form,

die aber doch allmählich zu einem niedrigen, abgerundeten Busch heranwächst. Diese zu Recht beliebte Zwergform mit ihren winzigen, auf der Rückseite silbrig erscheinenden Blättern sieht besonders gut aus, wenn man sie auf einer niedrigen Mauer anpflanzt, an der die jungen Zweige herunterhängen können.

J. c. 'Repanda'
Sehr schnell wachsende, Teppich bildende Zwergform, die zur Bodenbedeckung gut geeignet ist. Die dunkelgraugrünen Nadeln sind weich und stechen nicht, sie sitzen an halbliegenden, braunen Zweigen. Die Originalpflanze war einer der „Wildfunde", die der verstorbene Maurice Pritchard (Christchurch, Dorset, England) aus Irland mitbrachte.

J. c. 'Silver Lining'
Diese hübsche, kleine Pflanze hat völlig niederliegende, den Boden berührende Zweige. Jeder der kräftig wachsenden Triebe ist mit glänzenden grünen Blättern besetzt. Der sehr passend erscheinende Name wurde von Mr. H. J. Welch von der Wansdyke Baumschule, Devizes, Wiltshire, England, geprägt und bezieht sich auf die silbrige Unterseite der winzigen Blätter, die z. T. gedreht sind und dadurch den Silberstreifen zum Vorschein kommen lassen.

J. c. 'Suecica'
Eine variable Pflanze, von der typische Solitäre in ihrer aufrechten Wuchsform der Sorte *J. c.* 'Hibernica' gleichen. Sie sind aber meist an der Spitze offener und viele Triebe ragen heraus. 'Suecica Nana' ist selten und in ihrer äußeren Form mehr wie eine größere Ausgabe von 'Compressa'.

J. c. 'Vase' (syn. 'Vase Shaped')
Eine Pflanze mit offener Mitte und schräg aufstrebenden Ästen. Die graugrünen Blätter werden im Winter häusig bronzefarben.

Juniperus conferta   Strandwacholder   [Klimazone 5]

Diese japanische Art findet man wild wachsend in sandigen Küstengebieten. Niederliegend, dicht wachsend, mit kaum aufsteigenden, braunen Zweigen und großen, weichen, blaßgrünen, nadelförmigen Blättern.

Juniperus davurica   [Klimazone 3]

Diese Pflanze soll im nördlichen Asien weit verbreitet sein. Vom Typus ist wenig bekannt, seine Sorten werden jedoch vielfach angepflanzt.

J. d. 'Expansa'
Eine niedrige, sehr in die Breite gehende Pflanze mit Büscheln sattgrüner Jugendbelaubung und mit herausragenden Zweigen mit Altersblättern.

J. d. 'Expansa Aureospicata'
Ähnlich wie die obige, aber mit auffallenden gelben Flecken in dem größtenteils juvenilen Laub.

J. d. 'Expansa Variegata'
Ein ebenfalls panaschierter, jedoch noch lebhafterer Klon als der vorige. Die weißen Partien kontrastieren sehr schön mit dem satten Grün der normalen Blätter. Beide Formen neigen jedoch zu Verbrennungen, wenn die Pflanzen der heißen Sonne ausgesetzt sind.

Juniperus horizontalis   Kriechwacholder   [Klimazone 3]

Nordamerikanische Art, die auch wild wachsend variabel ist. Alle meist niederliegenden Formen wachsen langsam. Die Äste sind extrem lang, die Zweige dicht und meist kurz. Das Laub ist pfriemförmig oder schuppenartig und blaugrau.

J. h. 'Bar Harbor'
Dünne, kriechende Leittriebe mit aufrechten Seitenzweigen. Bei kaltem Wetter nehmen die graugrünen Blätter einen entzückenden malvenfarbenen Ton an.

J. h. 'Douglasii'
Niederliegender, kräftig wachsender Klon, der einen dichten Teppich aus Zweigen mit bläulichweiß-bereiften, grünen Blättern bildet, die im Winter hell purpurn werden.

J. h. 'Glauca'
Dieser sehr oft gepflanzte, kriechende Strauch ist zu Anfang völlig niederliegend. Später wölben sich die stahlblauen Zweige in der Mitte leicht auf. Diese Sorte ist geradezu unentbehrlich, wo ein dichter, niedrig wachsender Teppich gewünscht wird, der bei seinem lebhaften Wachstum jegliches Unkraut unterdrückt.

J. h. 'Montana'
Von ähnlich graublauer Farbe wie die weiter unten beschriebene, beliebte 'Wiltonii'. Die kurzen Zweige sind jedoch aufwärts gerichtet. Breitet sich auf dem Boden schnell aus.

J. h. 'Plumosa'
Größer als die meisten dieser Gruppe. Die niederliegenden Zweige richten sich an den Enden auf. Dichte und weiche, graue Blätter, die sich im Winter purpurn färben. Eine hübsche Neueinführung von der Andorra Nursery Co., Philadelphia, USA.

J. h. **Wiltonii** (syn. 'Blue Rug' oder 'Wilton Carpet')
Wuchs sehr dicht, teppichförmig. Etwas flacher wachsend, mit silberblauem Laub, sonst fast identisch mit der 'Glauca'. Langsam wüchsig.

Juniperus × media   [Klimazone 4]

Dieser Name faßt eine Gruppe von offensichtlich natürlichen Hybriden zwischen *J. chinensis* und *J. sabina* zusammen. Zwar weichen die einzelnen Vertreter beträchtlich voneinander ab, doch kann man sie in zwei größere Gruppen einteilen:
1. Der 'Plumosa'-Typ mit ziemlich steifen, fast aufrechten Zweigen und hauptsächlich schuppenförmigen Altersblättern. In vielen Punkten entsprechen diese Pflanzen dem *J. chinensis*-Elternteil.
2. Die wichtige Pfitzeriana-Gruppe, die mehr dem *J. sabina*-Elternteil ähnelt, denn die Zweige tragen eine gemischte Belaubung und wölben sich von einem kurzen Stamm nach außen, um einen breitausladenden Busch zu bilden. Einige Autoren erkennen diese Unterscheidung nicht an und ordnen alles unter *J. chinensis* ein, wie es auch in unseren Fachkreisen allgemein üblich ist.

J.×m. '**Blaauw**'
Eine sehr attraktive, ursprünglich aus Japan importierte Pflanze. Die dicken, rötlichen, aufrechten Äste sind mit Büscheln graugrüner Blätter und dünnen, herausragenden jungen Trieben bedeckt. 'Plumosa' -Gruppe.

J.×m. '**Gold Coast**'
Eine faszinierende Neuentwicklung von 'Pfitzeriana Aurea' mit fast völlig gelben Blättern, die sich bei kaltem Wetter zu einem satten Gold verfärben.

J.×m. '**Hetzii**' Abb. 64
Wo ein schnell wachsender Strauch gewünscht wird, sollte man sich für diesen entscheiden. Er hat außerordentlich volles, hellgraues Laub, kann in fast allen Bodenarten gedeihen und verträgt kräftigen Zweigrückschnitt. Er wird mit der Zeit groß, kann aber leicht zurückgehalten werden.

J.×m. '**Old Gold**'
Ein Sport von 'Pfitzeriana Aurea', der aber etwas langsamer im Wachstum ist als die Mutterpflanze. Die entzückende goldene Tönung behält die Pflanze das ganze Jahr über, sie wird im Winter zu einem Altgold.

J.×m. '**Pfitzeriana**'
Wegen seiner Anpassungsfähigkeit und des schnellen Wachstums eine der brauchbarsten aller Koniferen. Die langen, dicht mit tiefgrünem Laub bedeckten Zweige wachsen zuerst auf- und seitwärts, ehe sie durch das Gewicht der Blattwerkmenge sich an den Enden zu neigen beginnen. Der Strauch baut sich mit den Jahren Schicht für Schicht selbst auf und wird, wenn er genug Platz hat, mit der Zeit eine breite Fläche bedecken. 'Mint Julep' ist eine Abweichung mit rein hellgrünen Blättern; 'Pfitzeriana Compacta' ist, wie schon der Name besagt, eine dichtere Form mit festen, grünen Altersblättern. Diese Pflanze sollte man nehmen, wenn die anderen der Gruppe zu großwüchsig scheinen. 'Pfitzeriana Glauca' ist eine verbesserte Ausgabe von 'Hetzii', mit niedrigen Zweigen, aber sehr stechend. Eine sehr reizvolle „blaue" Pflanze.

J.×m. '**Pfitzeriana Aurea**' Abb. 67
Zu Anfang ein dichter, niedriger Busch, später größer. Die älteren Blätter sind grün bereift, die hängenden neuen Triebe reingelb. Sehr farbenfreudig und problemlos in der Haltung.

J.×m. '**Plumosa**'
Eine zwergwüchsige Form mit aufrechten Zweigen, die sich oft von selbst nach einer Seite neigen. Die Äste tragen kurze Zweige mit steifen, dunkelgrünen Blättern.

J.×m. '**Plumosa Aurea**'
Eine gelbe Ausgabe von 'Plumosa', die im Laufe der Zeit sehr groß wird. Von den weitausladenden Zweigen wölben sich die Seitentriebe mit den blaßgelben Blättern nach außen. 'Plumosa Aureovariegata' und 'Plumosa Albovariegata' sind gefleckte und schon durch ihren Namen gut beschriebene Sorten.

175

Juniperus procumbens **Niederliegender Wacholder**
Abb. 57   [Klimazone 5]

Eine sich sehr stark ausbreitende Pflanze aus Japan mit steifen, niederliegenden Zweigen mit blaugrünen Blättern, die zu dritt stehen. Eine sehr brauchbare, teppichbildende Pflanze. Sehr geeignet, um kahlen Boden zu bedecken.

J. p. 'Nana'
(syn. 'Bonin Isles') Abb. 58
Diese sehr hübsche, gedrungen wachsende Pflanze kommt aus Japan und wurde zuerst von der D. Hill Nursery Co., Dundee, Illinois, USA, in den Handel gebracht. Abgesehen von ihren leicht aufgerichteten Haupttrieben ist sie niederliegend. Die Blätter sind besonders frisch grün und nehmen im Winter einen leichten Bronzeton an. Eine gut gewachsene Pflanze wird immer die Augen auf sich ziehen, wenn sie im Steingarten an eine Stelle gepflanzt wurde, wo sie gut zur Wirkung kommt.

Juniperus recurva   [Klimazone 7]

In seiner Heimat, dem östlichen Himalaja, ein großer Baum. In der Kultur im allgemeinen nur ein großer Busch. Die Rinde schält sich in Form von roten Streifen ab. Die Zweige sind mit graugrünen Blättern bedeckt.

J. r. var. *coxii* Abb. 66
Diese von der Art abgetrennte Varietät wurde aus der Gebirgsgegend des oberen Burma eingeführt. Sie wächst zu einem kleinen, lichten Baum mit hängenden Ästen heran. Die Zweige tragen grüne oder leicht graue Belaubung. Die Büschel mit abgestorbenen, rötlichen Blättern bleiben noch jahrelang an der Pflanze. Junge, einzeln stehende Exemplare müssen eine Stütze haben, damit sie einen geraden Stamm ausbilden.

J. r. 'Embley Park'
Diese vom Typus abweichende, langsam wachsende Pflanze wurde aus Samen gezogen, die der bekannte Pflanzensammler George Forrest aus China schickte. Die sich neu entfaltenden, spitzen Blätter haben eine ganz besonders frische grüne Farbe.

Juniperus rigida **Steifblättriger Wacholder** [Klimazone 5]

Ein sehr hübscher, kleiner Baum aus Japan mit grauer Rinde und ausladenden Ästen sowie elegant hängenden Zweigen. Die

176

an den Trieben voneinander getrennt stehenden, einzelnen Blätter sind stechend, grünlich und unterseits grau gestreift. Die runden Früchte sind schwarz und grau bereift.

Juniperus sabina   **Sadebaum**   [Klimazone 4]

Diese variable Form, die schon lange in Kultur ist und aus den Gebirgsregionen Europas stammt, hat ein ausladendes Zweigsystem mit meist aufrechten Seitenzweigen. Die grünen oder grauen Blätter sind fast alle adult und somit schuppenförmig. Manchmal sind auch weiche, pfriemförmige Jugendblätter vorhanden. Beide Blattformen haben, wenn man sie zerdrückt, einen unangenehmen Geruch. Wenn die Pflanze von Baumschulen mit ihrem Artnamen angeboten wird, handelt es sich um *J. s.* 'Erecta'. Sie ergeben gute Gartenpflanzen. Einige passen in den Steingarten; die sich schnell ausbreitenden eignen sich zur Bodenbedeckung, wenn sie an unschönen Plätzen recht dicht gepflanzt werden.

J. s. 'Arcadia'
Eine niedrig wachsende Pflanze mit leicht ansteigenden Zweigen, Belaubung sattgrün. Wurde in den Vereinigten Staaten aus Samen gezogen, der aus der Sowjetunion importiert worden war.

J. s. 'Blue Danube'
Niedrig wachsend oder buschig. Die mit hellgrünen Blättern bekleideten Zweige bewurzeln sich beim Weiterwachsen der Pflanze von selbst.

J. s. 'Hicksii'
Ein besonders kräftiger Klon, der oft zur Bodenbedeckung größerer Flächen verwendet wird. Die zuerst oft teilweise aufrechten Zweige sind dicht mit grünen Blättern bedeckt, die im Winter an den Spitzen malvenfarbig werden.

J. s. 'Skandia'
Diese winterharte, kriechende Form mit gleichem Ursprung wie 'Arcadia' hat hellgrüne Blätter und ist eine vorzügliche bodendeckende Pflanze.

J. s. var. *tamariscifolia*
Der beste Klon der spanischen Form des Sadebaums ist unter dem Namen 'Tamariscifolia' (Abb. 60) bekannt. Die Pflanze ist als Solitäre für den Steingarten sehr beliebt, aber ebenso gut für die Kante einer Freitreppe geeignet. Die niederliegenden Zweige mit den hellblauen Blättern bilden eine Schicht nach der anderen, bis ein dichter Teppich entsteht.

J. s. 'Variegata'
Ein sehr in die Breite wachsender Strauch mit aufrechten Ästen. Die normale grüne Belaubung weist zwischendurch weiße Partien auf.

J. s. 'Von Ehren'
Ein offener, vielstämmiger Busch, der mit der Zeit ausgedehnt hügelförmig wird. Es tut ihm gut, wenn man ihn ab und zu mit der Hekkenschere verschneidet.

Juniperus sargentii [Klimazone 5]

Wurde zuerst von Professor Sargent an der Meeresküste des nördlichen Japan entdeckt. Er schickte dem Arnhold Arboretum, Massachusetts, USA, Material. Es handelt sich um eine langsam wachsende, völlig niederliegende Pflanze, die auf nährstoffarmem Boden gut gedeiht und außerdem noch gegen Krankheiten resistent ist. Die Altersblätter sind beim Typus hellgrün, Klone variieren zwischen dieser Farbe bis hin zum Blauschimmer.

Juniperus scopulorum **Felsengebirgssadebaum**
[Klimazone 5—7]

Ein kleiner, schmal pyramidenförmiger Baum aus dem westlichen Nordamerika. Meist entspringen mehrere Stämme in Basisnähe. Die Äste sind dick, die Zweiglein schlank, mit kleinen, schuppenförmigen Blättern besetzt. Die Farbe des Laubes variiert sowohl bei der wilden Pflanze wie auch bei den zahlreichen mit Namen registrierten Klonen, von denen hier nur eine kleine Auswahl folgen kann.

J. sc. 'Blue Haeven'
(syn. 'Blue Haven')
Eine sehr hübsche Selektion mit eleganter, kompakter, aufrechter Wuchsform und rein hellblauer Belaubung.

J. sc. 'Gray Gleam'
Bildet einen eleganten, ziemlich schmalen Kegel aus grauen Blättern. Die Pflanze behält während des ganzen Jahres ihre Blattfarbe bei und ändert sie im Winter nicht zu einem stumpfen Purpur wie manche anderen.

J. sc. 'Hillborn's Silver Globe'
Eine rundliche, unregelmäßige Masse silbergrauen Laubes.

J. sc. 'Pathfinder'
Diese Sorte hat silbrige Blätter an Flachzweigen und bildet beim Heranwachsen eine schmale Säule.

J. sc. 'Platinum'
Auf einer breiten Basis wachsende, dichte Pyramide mit glänzend silbernen Blättern.

J. sc. 'Skyrocket'
Diese ist eine der reizvollsten Neuerscheinungen unter den Koniferen. Alle Zweige sind steil nach oben gerichtet. Die extrem schmale Spindel aus silbergrauem Laub ist eine begrüßenswerte Neuerwerbung für den Garten. Sowohl beschnitten wie unbeschnitten zu verwenden.

J. sc. 'Springbank'
Aufrecht, groß, ziemlich schütter im Habitus. Im Sommer hellblau, doch mit Einbruch des kalten Wetters wird die Farbe etwas unansehnlich.

J. s. 'Tabletop'
(syn. 'Tabletop Blue')
Ein breiter Busch, ohne Hauptstamm, mit verblüffend reinblauem Laub. Die Pflanze wächst besser und dichter, wenn die Haupttriebe ein Jahr ums andere gekürzt werden.

Juniperus squamata **Schuppiger Wacholder** [Klimazone 4]
Wie so viele Wildpflanzen mit weitem Verbreitungsgebiet ist auch diese sehr variabel. Manche sind kleine Bäume, andere niedrig und breit. Die Äste sind im allgemeinen kräftig, die Zweiglein kurz, die Spitzen hängen. Die pfriemenförmigen Blätter sind groß und stehen dicht.

J. sq. 'Blue Star' Abb. 56
Eine prachtvolle Neueinführung mit intensiv silberblauem Laub. Ein Stamm ist nicht vorhanden, die Zweige bilden eine dichte, niedrige und sehr stachelige Kuppel.

J. sq. 'Meyeri' Blauzederwacholder
Wurde vor vielen Jahren in den Westen eingeführt und stammt aus einer chinesischen Baumschule. Die jetzt sehr beliebte Pflanze hat stahlblaue, große Nadelblätter. Meist sieht man sie als aufrechten Strauch und mit einiger Verschulung wird sie zu einem reizvollen kleinen Baum heranwachsen. Die abgestorbenen Blätter, die von der

Pflanze nicht von selbst abgeworfen werden, beeinträchtigen das anmutige Aussehen der abwärts geneigten Triebe und sollten deshalb recht vorsichtig entfernt werden, wenn möglich mit der Hand, die man durch feste Handschuhe schützt.

J. sq. 'Wilsonii'
Wird oft wie eine Zwergform behandelt. Die Pflanze hat entweder eine offene oder eine dichte, kegelförmige Wuchsform (möglicherweise sind zwei Formen in Kultur) und kann mit der Zeit recht groß werden. Das dichte, grüne Laub ist durch zwei fast weiße Streifen auf der Oberseite gekennzeichnet.

179

Juniperus virginiana **Rotzeder, Virginischer Sadebaum**

Die Heimat dieses winterharten, kleinen Baumes ist Nordamerika. Das aromatische, rote Holz wird zur Bleistiftherstellung verwendet. In Kultur sind die Pflanzen mehr buschförmig mit aufrechtem Stamm und zunächst aufsteigenden Ästen. Die dünnen Zweige tragen vorherrschend kleine, scharfe, schuppenförmige Altersblätter und hier und dort dazwischen Büschel mit dem offeneren Jugendtyp. Es gibt wesentlich mehr Sorten als die Auswahl, die hier vorgestellt wird.

J. v. 'Burkii'
Eine der besonders gelungenen Selektionen mit stahlblauen Alters- und Jugendblättern, die im Winter purpurn werden. Der Habitus ist aufrecht, dicht und säulenförmig.

J. v. 'Canaertii'
Eine schmale Pyramide mit dunkelgrünen Blättern. Die jungen Triebe ragen aus der dichten Masse aufrechter Äste hervor. Charakteristisch für die Pflanze ist, daß sie regelmäßig fruchtet. Die Zweige hängen dann voller bereifter Beerenzapfen.

J. v. 'Glauca'
Von kräftigem, pyramidenförmigem Wuchs mit stahlblauer, fast ausschließlich schuppenförmiger Belaubung.

J. v. 'Grey Owl' Abb. 63
Diese zu den Favoriten zählende Pflanze entwickelt eine wogende Unmenge dünner Zweige, die mit winzigen grauen Blättern besetzt sind. Wird oft für eine intermediäre Form von *J.×media* 'Pfitzeriana' und *J. virginiana* 'Glauca' gehalten, gilt aber meist als Sorte der letzteren. Für einzeln stehende Exemplare und für großflächige Bodenbedeckung geeignet.

J. v. 'Schottii'
Eine der häufigsten baumförmigen Sorten, deren Äste hellgrüne Blätter tragen.

Thuja   Lebensbaum

Eine kleine Gruppe immergrüner Bäume und Sträucher, die mit den flachblättrigen Zypressen verwandt sind und ihnen sehr ähnlich sehen. Der bedeutendste Unterschied liegt in ihren eiförmigen Zapfen mit den sich deckenden Schuppen. Die bei Verletzung aromatisch riechenden Blätter sind bei der Spezies schuppenförmig, behalten aber bei einigen Sorten während ihrer gesamten Lebensdauer den Jugendtyp der Sämlinge bei. Früher wurde diese Gattung mit einigen juvenilen Formen der Zypressenfamilie zu einer eigenen Gattung — *Retinospora* genannt — zusammengefaßt. Diesen Namen findet man mitunter immer noch in Katalogen. Als Boden bevorzugen sie einen gut durchlässigen, feuchten Standort. Dort können sie sich zu sehr ansehnlichen Pflanzen mit dichter, meist konischer Wuchsform entwickkeln. Sowohl die Arten wie auch viele ihrer Sorten sind ausgezeichnete Heckenpflanzen. Außerdem gibt es einige sehr langsam wachsende Formen, die für den Steingarten geeignet sind. Männliche und weibliche Blüten sitzen an unterschiedlichen Teilen des gleichen Baumes. Jeder Zapfen enthält nur wenige Samen, die spät im Jahr reifen und zur Vermehrung der Art verwendet werden können. Ausgesät wird im Frühjahr (möglichst unter Glas), und die jungen Sämlinge werden, wenn sie groß genug sind, daß man sie handhaben kann, eingetopft. Sie werden schließlich in einer Baumschulparzelle herangezogen, ehe sie mit ungefähr 0,5 m groß genug sind, um an ihren endgültigen Standort gepflanzt zu werden. Stecklinge der Spezies und der Sorten können in Frühbeeten zur Bewurzelung gebracht werden, wenn man sie im Herbst in ein Sandgemisch einsetzt. Seltene Arten hat man früher gepfropft, wobei man aus Samen gezogene Pflanzen vom Typus als Unterlage verwendete. Der gebräuchliche Name für *Thuja occidentalis* war ursprünglich Arbor -vitae, was Lebensbaum bedeutet. Ausgenommen in Büchern und Katalogen wird er selten gebraucht und der Name *Thuja* bevorzugt.

Th. koraiensis   **Koreanischer Lebensbaum**   [Klimazone 5]

Diese aus Korea stammende Pflanze sieht man meist als buschigen Strauch. Mitunter sieht man aber auch ältere Exemplare, die schlanke, nicht sehr dichte Säulen bilden. Das stark duftende, an fächerförmigen Zweigen sitzende Laub ist oberseits blaugrün und besitzt unterseits weißliche Ränder.

Th. occidentalis Abendländischer Lebensbaum

[Klimazone 2]

Variabler, meist großer und sehr winterharter Baum aus dem östlichen Nordamerika mit glänzend grüner oder blaß gelbgrüner Belaubung, die meist im Winter braun wird. Hierher gehören einige sehr gute Gartenformen, darunter auch einige Zwergformen. Die Art mit ihrer dicht verästelten Belaubung kann als Heckenpflanze verwendet werden, doch ist sie für diesen Zweck nicht annähernd so gut geeignet wie *Th. plicata*.

Th. o. 'Alba' (syn. 'Albospica')
Von eleganter Pyramidenform mit reinweißen Spitzen an den flachen Trieben.

Th. o. 'Aurea'
Busch mit breiter Basis und gelben Blättern.

Th. o. 'Beaufort'
Wurde von Mr. W. Haalboom, einem Gärtner aus Driebergen-Rijsenburg, Niederlande, herangezogen und wächst zu einer schlanken, lockerästigen Pyramide heran. Die Blätter sind dunkelgrün, prägnant weiß panaschiert.

Th. o. 'Caespitosa' Abb. 48
Dichte, rundlich aufgewölbte Form aus winzigen Trieben, die mit grünen, hauptsächlich adulten Blättern besetzt sind. Diese Form scheint wie geschaffen für den Steingarten, ist aber leider recht rar.

Th. o. 'Columbia'
Als junge Pflanze ein lockerer Busch, später bekommt sie einen säulenförmigen Umriß. Die weißen Spitzen am blaßgrünen Laub kommen im Winter am besten an kräftigen jungen Pflanzen zur Wirkung.

Th. o. 'Ericoides' Abb. 37
Diese Pflanze hat weiche Jugendblätter, die während des Wachstums graugrün sind und im Winter blaßbraun werden. Meist als eiförmiger, kleiner Busch zu sehen, der mehrere Haupttriebe hat. Zu schwache Äste werden durch den Schnee niedergedrückt, was zu dauerhaften Schäden führt, wenn er nicht schnellstens entfernt wird.

Th. o. 'Fastigiata'
Ein dicht, oft schmal und aufrecht wachsender Klon von regelmäßigem Umriß. Geeignet als gefällig aussehendes Solitärstück.

Th. o. 'Globosa'
Die sehr eng stehenden Zweige dieser langsam wachsenden, hellgraugrün belaubten Pflanze bilden eine regelmäßig gerundete Umrißform.

Th. o. 'Hetz Midget'
Winzige, sehr langsam wachsende Kugel aus grünem Laub an sehr

kurzen Zweigen. Der Klon stammt von einem Sämling aus einer amerikanischen Baumschule.

Th. o. 'Holmstrup'
(syn. 'Holmstrupensis')
Eine schmale Säule aus sattgrünen, manchmal leicht braun getönten Blättern, die an dicht gedrängt stehenden, vertikalen Zweigen sitzen. Zwar wird die Pflanze mit der Zeit groß, doch niemals unhandlich.

Th. o. 'Little Gem'
(syn. 'Green Globe')
Eine beliebte Zwergform, die zu einer kleinen, oben flachen Kugel heranwächst. Das dunkelgrüne Laub sitzt an schwach gedrehten Flachzweigen.

Th. o. 'Lutescens'
(syn. 'Wareana Lutescens') Abb. 46
Ein dichter, langsam wachsender, pyramidenförmiger Strauch von hervorragender Qualität. Die Triebe und das Laub an den großen Flachzweigen sind im ersten Jahr cremefarben oder blaßgelb, werden aber später im Innern der Pflanze blaßgrün.

Th. o. 'Ohlendorffii'
Wurde bei uns Ende des 19. Jahrhunderts in der Gegend von Hamburg herangezogen. Dieser ungewöhnliche Klon hat graue Jugendblätter, die in Viererreihen an den Trieben angeordnet sind. Dünne, peitschenförmige Zweige mit schuppenförmigen Altersblättern ragen aus dem kleinen, eiförmigen

Busch heraus. Man sollte sie alljährlich entfernen, damit die Pflanze ihre Form behält.

Th. o. 'Pyramidalis Compacta'
Ein schmal kegelförmiger, rasch wachsender Baum mit aufrechten, dichten Zweigen und mattgrünem Laub. Als Einzelpflanze, aber auch für Hecken geeignet.

Th. o. 'Rheingold' Abb. 53
Eine breit kegelförmig gewachsene Zwergform mit einer Mischung beider Blattypen. Die fedrige Jugendform befindet sich an den flachen Zweiglein an der Basis der reifen Abschnitte. Die Färbung variiert mit den Jahreszeiten vom blassen Gelb (die jungen Triebe sind rosa, später orange) zum satten Gold im Winter. Jeder Gartenfreund wird von diesen leuchtenden Farben begeistert sein, die an trüben Tagen besonders gut zur Wirkung kommen. Manche wollen den Namen 'Rheingold' für eine kleinere, oft runde und ausschließlich juvenile Pflanze vorbehalten wissen (juvenil gehalten durch das Entfernen älterer Blätter, falls sie sich bilden) und benutzen den Namen 'Ellwangeriana Aurea' für die größere und häufiger angepflanzte Form.

Th. o. 'Smaragd'
Eine brauchbare, aufrechte, pyramidenförmige Pflanze von dichtem Habitus, die ihre dunkelgrüne Belaubung das ganze Jahr über beibehält. Gut geeignet als Heckenpflanze. Stammt aus Dänemark.

Th. o. 'Vervaeneana'
Diese Pflanze stammt aus Belgien.
Sie ist groß und hat die typische
Pyramidenform der Gruppe. Das
dunkelgrüne Laub ist weiß ge-
zeichnet und hat weiße Spitzen.
Das Laub wird bei kaltem Wetter
oft braun und dann im zweiten
Jahr blaßgrün.

Th. o. 'Wansdyke Silver'
Dicht pyramidenförmige Zwergform mit dunkelgrünem Laub und
elfenbeinfarbener, sich gut halten-
der Panaschierung.

Th. o. 'Wareana'
Aufrecht, kompakt, hat vertikale
Zweige mit prächtig grünem Laub
an großen fächerförmigen Zweigen.

Th. o. 'Woodwardii'
Eine weitere zwergwüchsige Pflanze von runder Form mit gespreiz-
ten, aufsteigenden Zweigen von
leuchtendem Grün, das im Winter
einen bräunlichen Ton annimmt.
Die Pflanze behält ihre hübsche
Kugelform, ohne daß man sie verschneiden muß.

Th. orientalis   Morgenländischer Lebensbaum

[Klimazone 6]

Ein mäßig großer Baum, der in seiner Heimat, dem nördlichen
und westlichen China sowie auch Japan, häufig angepflanzt
wird. Im Westen ist er mehr durch seine kleinen, ausgesprochen
eleganten buschähnlichen Formen bekannt. Den Arttyp sieht
man zuweilen als alte Solitäre. Diese haben einen kurzen Stamm
mit Fetzen glänzender Rinde, nach oben gerichtete Äste ohne
Rinde und eine große kuppelförmige Krone aus hellgrünem
Laub, das an nahezu senkrecht stehenden, gelblichgrünen Flachzweigen sitzt. Wenn man dekorative kleine bis mittelgroße Koniferen wünscht, dann gehören die goldenen Sorten dieser Pflanze zu den am schönsten gefärbten, die zu haben sind. Allerdings
nur in wärmeren Lagen wirklich hart.

Th. or. 'Aurea Nana' Abb. 52
Diese von vielen gern gewählte,
reizende kleine Pflanze entwik-
kelt sich zu einem dicken, eiförmigen, kleinen Strauch aus aufrecht
stehenden Zweigen mit hellgrünem
Laub.

Th. or. 'Beverleyensis' Abb. 50
Dicht, aufrecht, mit der Zeit einen

säulenförmigen Umriß bekom-
mend. Das äußere Laub ist goldgelb. Mit Beginn des Winters färbt
es sich (durch Wind und Kälte
verursacht) rotbraun.

Th. or. 'Conspicua' Abb. 49
Aufrecht und symmetrisch wachsend, groß werdend. Wem eine
endgültige Größe von 3 bis 4 m

nach etwa 15 Jahren Wachstum nicht zu viel ist, der sollte nicht zögern, diese Sorte anzupflanzen. Das Goldgelb der jungen Triebe ist ganz besonders leuchtend.

Th. or. 'Filiformis Erecta'

Eine höchst ungewöhnliche Neuerscheinung. Die Pflanze wächst zu einem lockeren, runden Busch aus rauhen, peitschenförmigen Zweigen mit grünem Laub heran. Die neuen Frühjahrstriebe haben gelbe Spitzen.

Th. or. 'Juniperoides'

(syn. *Thuja decussata*) Abb. 51
Betrachtet man das Aussehen dieser Pflanze mit den weichen Jugendblättern, die so ganz anders sind als die üblichen Thujablätter, dann wundert man sich nicht, warum die Botaniker so viele Jahre brauchten, ehe sie sich entschieden, wohin sie diese Pflanze und einige ähnlich aussehende Varianten stellen sollten. Diese Pflanzen brauchen einen geschützten Standort, denn ihr graues Laub leidet unter der Winterkälte. Die Farbe dieser außergewöhnlichen Zwergpflanze ist im Herbst besonders reizvoll, wenn sie einen satten purpurfarbenen Ton annimmt.

Th. or. 'Meldensis'

Eine weitere kleinwüchsige Pflanze mit dichtem juvenilen Laub. Sie wird mit der Zeit ei- bis kugelförmig. Während der Wachstumszeit sind die Blätter grüngrau, im Winter violett.

Th. or. 'Rosedale'

(syn. 'Rosedalis Compacta')
Abb. 54
Ein dritter Zwerg, ebenfalls mit Jugendblättern und meist runder Wuchsform. Diese Form ist nicht so dicht wie die anderen und auch weicher (die beiden anderen fühlen sich rauh an). Die Pflanze wechselt im Verlauf der Jahreszeiten ihre Farbe. Die Jungtriebe sind reingelb, werden allmählich blaßgrün und endlich im Winter rötlichgrau.

Th. plicata (syn. Th. lobbii)   Riesenlebensbaum

[Klimazone 5]

Ein großer Baum aus den Wäldern des westlichen Nordamerika, wo sein Holz als Bauholz sehr begehrt ist. Im Garten wächst er zu einer eleganten Pyramide heran, hat einen rotbraunen Stamm, poröse Borke und sehr aromatische, glänzend grüne Blätter an seinen ausladenden Zweigen. Die Art gedeiht am besten in einem etwas feuchten, aber gut wasserdurchlässigen Boden, verträgt das Verschneiden gut und wird aus diesem Grunde häufig für Hecken und Abschirmungen gewählt.

Th. p. 'Atrovirens'
Ein selektierter Klon mit besonders stark glänzenden, sattgrünen Blättern.

Th. p. 'Cuprea'
Dichter, rundlicher Zwergbusch aus kurzen Zweigen. Das Laub ist an den Spitzen cremefarben oder tiefgolden. Sehr schön als Solitäre für den Steingarten.

Th. p. 'Hillieri'
Ein ganz winterharter, langsam wachsender, rundlicher Busch von regelmäßiger Höhe. Die Zweige tragen Büschel dicker, graugrüner Schuppenblätter, die bei kaltem Wetter bronzefarben werden.

Th. p. 'Old Gold' Abb. 47
Diese kräftig wachsende, aufrechte Form stammt aus Neuseeland und ist dort besonders beliebt. Die leuchtend goldene Farbe hält sich auch im Verlauf der Jahreszeiten und wird sich nur in kühleren Gegenden zu einem Bronzeton wandeln. Befriedigende Heckenpflanze.

Th. p. 'Rogersii'
(syn. 'Aurea Rogersii')
Ein für den Steingarten gern genommener Zwerg mit dichter Kegelform. Die winzigen Schuppenblätter sind goldgelb mit orangefarbenen Spitzen. Wenn die Pflanze bei kaltem Wetter noch einen Bronzeton annimmt, sieht sie besonders gut aus.

Th. p. 'Stoneham Gold'
Groß werdend, doch sehr langsam wachsend, ist dieser breit kegelförmige Strauch für den Heidegarten oder einen großen Steingarten geeignet. Das hellgelbe neue Laub erscheint noch leuchtender, weil es mit dem Dunkelgrün der älteren inneren Blätter kontrastiert.

Th. p. 'Zebrina'
Eine aufrechte, breite Pyramide. Bei dieser Pflanze haben die grünen Blätter der jungen Triebe eine deutliche gelb- und cremefarbene Zebrastreifenzeichnung. Die Färbung ist so stark, daß der Baum, von weitem gesehen, für eine gelbe Sorte gehalten werden kann.

Thujopsis   Hibalebensbaum

Dieser japanische Baum wurde früher zu *Thuja* gestellt, bildet jetzt aber eine eigene Gattung, zu der nur eine Art gehört. Das immergrüne Laub ist groß, oberseits glänzend dunkelgrün, unterseits weiß. Es sitzt an eigenartig bandförmigen, grünen Zweigen. Die Pflanze erreicht zwar mit der Zeit Baumgröße, im Garten empfiehlt es sich aber doch, sie wie einen Strauch zu behandeln und sie durch Rückschnitt in vertretbaren Grenzen zu halten.

Wenn sie nicht völlig frei steht, verliert sie ihre unteren Zweige; wenn sie aber genügend Platz hat und regelmäßig verschnitten wird, bleibt sie bis zum Boden belaubt. Die Vermehrung erfolgt, ähnlich wie bei anderen Angehörigen der Familie, durch Stecklinge. Sie bewurzeln sich leicht, wenn sie im Herbst unter Glas in sandige Erdmischung gesteckt werden.

Thu. dolabrata   **Beilblättriger Hibalebensbaum**

[Klimazone 6]

Der Typus wurde vorstehend bei der Beschreibung der Gattung geschildert.

Thu. d. 'Aurea'
Eine außergewöhnliche Form mit blaß goldgelben Blättern.

Thu. d. 'Nana'
Eine gute, langsam wachsende Form, die, wenn man ihr Längenwachstum etwas einschränkt, einen breiten, flachen Busch ergibt. Das satte Grün wird bei kaltem Wetter bronzefarben.

Thu. d. 'Variegata'
Weißbunte Form. Die Panaschierung ist nicht gleichmäßig verteilt, manche Partien sind stärker bunt als andere. Darauf muß man achten, wenn man Material für die Vermehrung auswählt.

PINACEAE · Familie der Kieferngewächse

Abies   Tanne

Zur Zeit sind etwa vierzig Arten der Gattung *Abies* bekannt. Viele von ihnen haben große wirtschaftliche Bedeutung. Fast alle werden mit der Zeit imposante Bäume. Einige der wild wachsenden Bäume gehören zu den höchsten der Welt. Es sind Exemplare bekannt, die 100 m hoch sind. Die besten Bäume wachsen in den tiefgründigen Böden niederschlagsreicher Gebiete. Zu den ungünstigen Bedingungen rechnen flacher, trockener und (von noch zu erwähnenden Ausnahmen abgesehen) kreidiger Boden. Außerdem sind einige gegenüber Spätfrösten im Frühling empfindlich, besonders solange sie noch jung sind. Die enorme Höhe vieler der wildwachsenden Bäume sollte nicht daran hindern, manche Arten im Garten anzupflanzen. Sie wachsen im Garten ohnehin langsamer. Ihre Gestalt ist symmetrisch. Junge Pflanzen haben einen kegelförmigen Umriß. Jedes Jahr wird bei den jungen Pflanzen eine neue Etage von Astquirlen gebildet. Bei den sehr großwüchsigen Bäumen fallen die unteren Äste mit der Zeit ab und es bleibt ein kerzengerader Stamm mit einer Krone quirlig angeordneter Äste zurück. Die immergrünen, häufig bereiften Blätter sind linear, fast flach und haben auf der Unterseite auffallende weiße Spaltöffnungsbänder, die nur von unten her zu sehen sind oder wenn die Zweige von einem leichten Wind bewegt werden. Es gibt zwei Arten der Blattanordnung: an den Haupttrieben radial, rings um den Trieb; an den Seitenzweigen dagegen in zwei gegenüberliegenden Reihen stehend. Die Winterknospen der Haupttriebe, ihre Form und die Tatsache, ob sie verharzt sind oder nicht, das allgemeine Aussehen der Triebe und die Zapfen liefern die Bestimmungsmerkmale, die der Fachmann braucht, um die Arten voneinander unterscheiden zu können, von denen einige eine Zeitlang zu *Picea* gestellt worden waren. Die Blüten erscheinen im Frühling; an den Seitentrieben in kätzchenartigen Büscheln aus roten oder gelben Staubblättern die männlichen Blütenstände, näher zur Spitze hin stehen die weiblichen Blütenstände. Die aufrechtstehenden Gruppen fruchtender Zapfen wachsen während des Sommers heran, etliche verfärben sich vom anfänglichen Grün zum Violett oder Gelb. Im Herbst werden sie alle braun und brechen, sobald sie reif sind, auseinander, während sie noch am Baum stehen. Samen und Zapfenschuppen fallen zusammen ab. Will man aus Samen Nachwuchs ziehen, sollte möglichst unverzüglich ausgesät werden, weil die Samen nicht lange keimfähig bleiben. Sorten werden durch Pfropfung vermehrt, wobei man als Unterlage möglichst die engste verwandte Art benutzt. Pfropfreiser muß man von Haupttrieben entnehmen, denn bei Pfropfmaterial aus seitwärts wachsenden Zweigen dürfte es schwierig sein, die Pflanze zur Bildung eines Stammes zu veranlassen, meist entwickeln sich schief stehende Pflanzen.

A. *alba* Weißtanne [Klimazone 4]

Ein häufiger Baum der höher gelegenen Hänge in Gebirgen von
Mittel- und Osteuropa. Die junge Pflanze hat einen pyramidenförmigen Umriß. Die Zweige reichen bis zum Erdboden. Der
ältere große Baum hat einen kahlen Stamm und eine abgerundete
Krone. Die graue Rinde ist jung glatt und alt schuppig. Das
Laub ist oberseits grün, unterseits weiß. Die Winterknospen sind
klein und braun. Die unreifen Zapfen sind bräunlichgrün, die
reifen Zapfen kräftig braun. Die Weißtanne verlangt tiefgründigen Boden und ist stark rauchempfindlich.

A. *amabilis* Purpurtanne [Klimazone 5]

Ein groß werdender Baum aus dem westlichen Amerika mit gut-
aussehendem, fast weißem Stamm. Die langen Nadeln sind oberseits tiefgrün, unterseits weiß gebändert. Die Knospen sind rund
und sehr harzhaltig. Die jungen Zapfen sind purpurn gefärbt.

A. a. 'Spreading Star'

Eine niederliegend wachsende
Form, deren Mutterpflanze im
Blijdenstein Pinetum, Hilversum,
Niederlande, steht. Als Gartenpflanze ist sie durchaus zu gebrauchen, sie wird allmählich eine
größere Fläche mit dichtem Be-
wuchs decken.

A. *balsamea* Balsamtanne [Klimazone 3]

Dieser veränderliche Baum kommt in Kanada und dem Nordosten der Vereinigten Staaten vor. Wie groß er als erwachsener
Baum werden kann, hängt vom Klima und von seinem Standort ab. Die Rinde ist glatt und grau und mit Harzbuckeln bedeckt, denn die Balsamtanne liefert den Kanadabalsam, der in
Medizin und Optik verwendet wird. Die Nadeln sind oberseits
glänzend dunkelgrün, besitzen graue Spitzen und graue Bänder
auf der Unterseite. Die Knospen sind rötlich und verharzt, die
jungen Zapfen violett und ebenfalls verharzt.

A. b. 'Hudsonia' Abb. 70

Eine ausgezeichnete Zwergpflanze,
die eine dichte, oben abgeflachte
Kugel aus kurzen Zweigen mit
sehr kurzen Nadeln bildet. 'Nana'
sieht auf den ersten Blick gleich
aus, bei ihr ist das Laub jedoch
radial angeordnet und nicht semi-
radial wie bei 'Hudsonia'. Beide
Sorten sind sehr winterhart und
besonders tolerant im Hinblick auf
alkalischen Boden.

189

A. cephalonica   **Griechische Tanne**   [Klimazone 5]

Ein attraktiver, großer, pyramidenförmiger Baum, der in Höhenlagen um 1 500 m auf Kalkfelsen in Griechenland vorkommt. Die dicht stehenden, breiten Nadeln sind steif und haben scharfe Spitzen. Sie sind oberseits dunkelgrün und unterseits weiß. Die Knospen sind blaßbraun und sehr harzig, die Zapfen lang und schmal und zu Anfang grünlichbraun.

A. concolor   **Koloradotanne**   [Klimazone 4]

Ein herrlicher Baum und eine anpassungsfähige Gartenpflanze. Seine Heimat sind die westlichen Vereinigten Staaten, wo alte Exemplare vorkommen, die eine Höhe von 60 m erreichen. Der Stamm ist grau, in der Jugend glatt und bis zum Erdboden mit Zweigen bekleidet. Die Farbe der ziemlich dicken, langen Nadeln variiert zwischen Grün und Bläulichsilbrig. Sie sind in zwei sich gegenüberstehenden Reihen angeordnet, am Trieb nach oben gerichtet. Die zylindrischen Zapfen sind grün, oft purpurn gefleckt. Reizvolle niederliegende Pflanzen kann man dadurch gewinnen, daß man Seitenzweige von ausgewählten silberblättrigen Sämlingen vermehrt. Ihre Toleranz für trockene Böden erhöht noch den Gebrauchswert der Pflanze.

A. c. 'Argentea' (syn. 'Candicans')
Eine der besten silbrigweiß belaubten Sorten von allen Koniferen.

A. c. 'Compacta'
Langsam wachsende Zwergsorte mit unregelmäßiger, kompakter Umrißform und eindrucksvoller grauer Belaubung.

A. c. 'Glauca Prostrata' Abb. 73
Attraktive Pflanze mit silbergrauen Nadeln. Niedrig bleibend.

A. c. var. lowiana (syn. A. lowiana)
Diese in der Natur vorkommende Varietät hat kleinere Winterknospen, kürzere Zweige und eine offenere Krone als der Typus. Die grauen Nadeln sind zweireihig oder in zwei V-förmigen Reihen angeordnet.

A. c. 'Violacea'
Wurde wegen ihrer eindrucksvollen silbergrauen Belaubung ausgewählt.

A. c. 'Wattezii'
Das blaßgelbe junge Laub wird später silbrig. Ein nur mäßig großer Baum, der, obwohl er ungewöhnlich aussieht, doch nicht so gut ist wie die Silberformen.

A. delavayi **Delavays-Tanne** [Klimazone 7]

Ein aus China stammender, sehr veränderlicher Baum, der als Art nur sehr selten in Kultur zu sein scheint.

A. d. var. *forrestii*
(syn. *A. forrestii*)
Ein attraktiver, mäßig großer Baum aus dem westlichen China. Die rötlichen Zweige tragen glänzend tiefgrüne Nadeln mit weißer Unterseite. Die Knospen sind fast rund und weiß verharzt. Ein wichtiges Merkmal der Pflanze sind die auffallenden, dunkelpurpurnen Zapfen.

A. fargesii **Farges-Tanne** [Klimazone 5]

Dieser pyramidenförmige Baum stammt gleichfalls aus China. Er ist kräftig, hat lange Äste und die im allgemeinen glatten Triebe sind orangebraun und leicht purpurn getönt. Die dunkelgrünen Nadeln stehen dicht in zwei oder mehr Reihen. Die Winterknospen sind groß, kegelförmig und sehr harzig. Die Zapfen sind zuerst purpurn.

A. grandis **Riesentanne** [Klimazone 6]

Diese amerikanische Art wächst in tiefgründigem, feuchtem Boden sehr schnell. Obwohl sie mit der Zeit so enorm groß wird, ist sie als junge Pflanze im Garten doch sehr reizvoll. Ihr Wuchs ist schmal kegelförmig und die recht dünnen Triebe tragen ungleich lange Nadeln, die auf der Oberseite tiefgrün und glänzend sind und auf der Unterseite silbern. Sie stehen zweireihig. Die Knospen sind klein, fast rund und harzig. Die Zapfen sind grünlichbraun.

A. g. 'Aurea'
Eine Form, bei der die Nadeln gelb getönt sind.

A. homolepis **Nikkotanne, Scheiteltanne** [Klimazone 5]

Eine anpassungsfähige Art, die aus Japan stammt. Wird selbst bei ungünstigen Bodenbedingungen sehr groß. Die Triebe sind tief gefurcht, gelblich und dicht besetzt mit grünen, unterseits weiß gebänderten Nadeln. Die kegelförmigen Knospen sind harzig. Die Zapfen sind sehr lang, unreif purpurn, reif braun.

A. koreana   Koreatanne   [Klimazone 5]

Eine prächtige Gebirgsform, die wegen ihrer eleganten Wuchsform und früh einsetzenden Zapfenbildung bemerkenswert ist. Sie ist pyramidenförmig, hat blaßbraune Triebe, an denen die steifen, oberseits grünen, unterseits silbernen Nadeln sitzen. Die sehr wirkungsvollen Zapfen sind tiefviolett und erscheinen als überraschender Gewinn schon an den jungen Pflanzen. Der Baum bleibt in Kultur verhältnismäßig klein.

A. lasiocarpa   Felsengebirgstanne   [Klimazone 3]

Langsam wachsend, doch schließlich zu einem großen Baum werdend. Kommt aus dem westlichen Nordamerika. Wuchsform pyramiden- oder kegelförmig. Die kurzen, grünen Nadeln entspringen von kurzbehaarten Trieben. Die kleinen Winterknospen sind braun und harzig. Die Zapfen sind schmal zylindrisch und purpurn gefärbt.

A. l. 'Compacta' Abb. 69

Möglicherweise ein Klon der var. *arizonica*, der Arizona- oder Korktanne. Diese Pflanze ist prächtig gefärbt, wächst langsam und hat eine breit konische Form. Die silberblauen Nadeln mit weißer Unterseite stehen sehr dicht auf den kurzen Seitenzweigen. Die harzigen Winterknospen sind besonders auffällig.

A. magnifica   Prachttanne   [Klimazone 5]

Ein sehr groß werdender Forstbaum mit schmal pyramidenförmigem Umriß, der im Westen der USA beheimatet ist. Am besten entwickelt er sich, wenn er in tiefgründigem, feuchtem Boden wächst. Alkalische Böden verträgt er nicht. Die bräunlichen Triebe sind kurz behaart. Lange, blaugrüne Nadeln stehen dicht auf der Oberseite der Seitenzweige. Die runden Knospen sind etwas harzig. Die langen, jungen Zapfen sind purpurn.

A. m. 'Glauca'

Eine Selektion mit helleren graugrünen Nadeln.

A. mariesii   **Maries-** oder **Aomoritanne**   [Klimazone 5]

Dieser mittelgroße bis große Baum stammt aus Japan und ist schlank pyramidenförmig. Der Stamm ist grau, die Äste sind dick. Die rötlichen, behaarten Seitenzweige tragen glänzend grüne Nadeln, die auf der Unterseite zwei weiße Spaltöffnungsbänder aufweisen. Die kleinen Winterknospen sind harzig. Vor der Reife sind die ovalen Zapfen purpurviolett.

A. nordmanniana   **Nordmannstanne, Kaukasustanne**
[Klimazone 4]

Eine variable, immer großwüchsige Form, oft mit breit pyramidenförmigem Umriß und bei alten Exemplaren weit ausladenden Ästen. Die graubraunen Triebe sind leicht behaart, die tiefgrünen Nadeln unterseits weiß gebändert. Das Laub steht auf den Trieben oberseits ganz dicht, unterseits gescheitelt. Die Winterknospen sind braun und nicht harzig. Die langen, eiförmigen Zapfen sind grünlich, solange sie noch jung sind.

A. n. 'Golden Spreader'
Eine sehr aparte, hübsche Zwergsorte mit reingelben Nadeln.

A. n. 'Pendula'
Diese Sorte hat breite, weitausladende Äste mit hängenden Spitzen.

A. n. 'Prostrata'
(syn. 'Procumbens')
Eine breitwüchsige Pflanze, die durch Vermehrung seitwärts gerichteter Zweige entstand.

A. numidica   **Numidische Tanne, Algiertanne**
[Klimazone 5]

Ein seltener Wildbaum von mittlerer Größe, den man manchmal in Kultur antrifft, und der wegen seiner Toleranz gegenüber Großstadtluft wertvoll ist. Sein Wuchs ist pyramidenförmig, das Zweigsystem regelmäßig, die Triebe sind grünlichbraun, die dunkelgrünen Nadeln daran radial angeordnet, meist nach vorn oder aufwärts gerichtet. Die großen Winterknospen sind zuerst harzig. Die langen Zapfen sind braun.

A. nu. 'Pendula'
Eine langsam wachsende Form mit
hängenden Trieben, die die typischen dicken, fast borstenförmigen
Nadeln tragen.

A. pindrow Himalajatanne [Klimazone 6]

Ein großer, meist schmal pyramidenförmiger Baum, der recht
anmutig wirkt. Er ist aber bei uns nicht in Kultur. Die glatten
jungen Triebe sind kräftig, gelbbraun und die sehr langen, leuchtend grünen Nadeln, die locker angeordnet sind, hängen meist
vom Trieb herab. Die Winterknospen sind etwas harzig. Die
grünlichbraunen Zapfen sind zylindrisch geformt.

A. p. var. *brevifolia*
Unterscheidet sich vom Typus im
äußeren Erscheinungsbild und hat
rötlichbraune Triebe und kürzere,
steife, blaßgrüne Nadeln.

A. pinsapo Spanische Tanne [Klimazone 6]

Diese charakteristische Art, die in einigen Gebirgsregionen Süd-
westspaniens vorkommt, steht dort unter Naturschutz. Ein an-
passungsfähiger Gartenbaum, der für viele Jahre eine mittlere
Größe beibehält und sich in kalkhaltigem Boden gut entwickelt.
Die Triebe sind glatt, rötlichbraun, mit tiefgrünen, radial angeordneten Nadeln besetzt. Winterknospen eiförmig, harzig. Die
zylindrischen Zapfen sind purpurbraun.

A. p. 'Aurea'
Ein niedrig wachsender Strauch
mit fadem blaßgoldenem Laub.

A. p. 'Glauca' Abb. 71
Eine großwüchsige Form mit auffallend blaugrünem Laub. Wurde
gegen Ende des 18. Jahrhunderts
in Frankreich gezüchtet. Die echte
Pflanze kann nur von Pfropfreisern gewonnen werden und die
blauen Sämlingspflanzen, die von
dieser Pflanze angeboten werden,
sind zwar begehrenswerte Gartenpflanzen, haben aber kein Anrecht
auf den Namen des Originals.

A. procera (syn. *A. nobilis*) Edel- oder Silbertanne
[Klimazone 4]

Dieser schlanke, große Baum aus den westlichen Vereinigten
Staaten ist wegen seiner dichten Nadeln und schönen Zapfen
bemerkenswert. Zwar ist er für viele Gärten zu groß, doch er-

gibt die Art eine stattliche Solitäre, wenn man ihr ausreichend Platz zu ihrer Entwicklung gewähren kann. Junge Triebe sind mit rostbraunen, flaumigen Haaren bedeckt, die Nadeln sind kurz, blaugrün, unterseits blaß gebändert. Die Knospen sind harzig. Die grünlichgelben Zapfen sind größer als bei allen anderen Tannen und sehen wirklich prächtig aus.

A. p. 'Glauca' Abb. 72

Eine der begehrtesten Koniferen mit intensiv silberblauem Laub. Da sie stets gepfropft sind, variieren die Pflanzen in ihrer äußeren Form. Die besten stammen von Haupttrieben. Unsere Abbildung zeigt einen großen Zapfen, der von einer Pflanze stammt, die kaum mehr als 2 m hoch war und im Vorgarten der Boskoop Baumschule in den Niederlanden steht. Wenn man Seitentriebe für die Pfropfreiser nimmt, erhält man niederliegende Pflanzen. Eine solche ist 'Glauca Prostrata'.

A. veitchii   **Veitchs-Tanne**   [Klimazone 3]

Ein schöner, großer, aus Japan stammender Baum, der bereits 1861 von J. G. Veitch, dem Leiter der dann berühmten Baumschule gleichen Namens in Großbritannien, eingeführt wurde. Junge Triebe sind mit rötlichbraunen flaumigen Haaren bedeckt. Die weichen, dunkelgrünen Nadeln sind auf der Rückseite auffällig silbern. Die Nadeln stehen dicht und sind leicht aufwärts gebogen. Die Knospen sind purpurn. Die sitzenden Zapfen sind zylindrisch und bläulichpurpurn.

Cedrus   Zeder

Die Zedern sind eine kleine Gruppe erlesener immergrüner Koniferen. Jeder kennt wohl die majestätischen, aus alten Zeiten stammenden Exemplare, die man in Parks und großen Gärten sehen kann. Schon in früher Zeit schätzte man ihr duftendes Holz, das von Alters her ein wichtiger Handelsartikel war. Die dünnen nadelartigen Blätter sind auf zweierlei Art angeordnet: spiralig an den jungen Haupttrieben und an den ausgereiften Seitentrieben in Büscheln an Kurztrieben. Junge Bäume sind schlanke Pyramiden. Der alte Baum hat einen massiven, oft schwarzen Stamm mit weit ausladenden Ästen. Was den Boden betrifft, so bevorzugen sie einen sandigen Lehm, der auch in Trockenzeiten feucht bleibt. An den erwachsenen Bäumen fallen die im Herbst blühenden, männlichen Kätzchen auf. Nicht weniger auffallend während der Reifung sind die großen, ovalen Zapfen, die auf den hängenden oder aufrechten Ästen stehen. Sie brauchen zwei Jahre bis zur Reifung und fallen noch auf dem Baum auseinander. Einige Systematiker haben früher alle Zedern als zu einer Art gehörend betrachtet und von den unterschiedlichen Formen nur als geographischen Unterarten gesprochen. Sie sind sich auch tatsächlich außerordentlich ähnlich und mit Sicherheit nur sehr schwer zu unterscheiden. Zedern können von Samen gezogen werden. Aber sämtliche benannten Sorten sind im zeitigen Frühjahr unter Glas durchgeführte Pfropfungen. Samen sollten bei milder Wärme ausgesät werden, um die Keimung zu gewährleisten.

Ce. atlantica **Atlaszeder** [Klimazone 6]

Ein bekannter, sehr groß werdender Baum aus dem Atlasgebirge in Nordafrika. Die Zweige der jungen Pflanzen sind steil nach oben gerichtet, später werden sie breit ausladend, doch bleibt fast immer die spitz zulaufende Krone erhalten. Sehr alte Bäume sind der Libanonzeder erstaunlich ähnlich, haben aber doch nur selten so ausgedehnte flache Laubpartien.

Ce. a. 'Aurea'
Goldene Atlaszeder
Die goldenen Nadeln sind kürzer als bei der Art. Wuchsform pyramidenförmig. Sie ist nicht so robust wie die grünen Formen, wird aber in gutem Boden ein zufriedenstellendes Einzelexemplar abgeben.

Ce. a. 'Fastigiata'
Wurde 1890 in Nantes (Frankreich) herangezogen. Diese Sorte hat kürzere Triebe, die Äste der jungen Pflanze wachsen steil aufwärts, ehe sie voller werden und eine schmale Pyramide bilden. Ein sehr beliebter, gern gepflanzter Klon, der oft als *glauca* angeboten wird, denn das Laub ist bläulichgrün wie bei dieser.

Ce. a. var. *glauca* oder 'Glauca'
Blauzeder
Hat das ganze Jahr über blau bereiftes Laub. Für Koniferen, die als einzeln stehendes Exemplar gedacht sind, wird gerade diese be-

sonders gern gewählt. Der Name umschließt eine ganze Gruppe „blauer" Formen, die sowohl wild vorkommen, als auch bei aus Samen gezogenen Pflanzen entstehen. Die typische Pflanze ist großwüchsig, besitzt aufsteigende Äste und weißlichblaue Nadeln.

Ce. a. 'Glauca Pendula'
Wenn man ihn mit Sorgfalt plaziert, ist es ein Baum von seltener Schönheit. Die langen, hängenden Zweige tragen blau bereifte Belaubung. Die besten Exemplare sind die, die auf einen wenigstens mannshohen Stamm gepfropft wurden.

Ce. a. 'Pendula'
Diesen kleinen Trauerbaum haben wir mit sehr tiefliegender Pfropfstelle gesehen. Mit seinen auf dem Boden schleifenden Zweigen sah er höchst reizvoll aus.

Ce. a. 'Pyramidalis'
Diese Form wurde 1889 in Frankreich herangezogen. Sie ist ausgesprochen pyramidenförmig und wird immer noch von einigen Koniferenspezialisten in Katalogen aufgeführt.

Ce. brevifolia   Zypernzeder   [Klimazone 7]

Diese kleinwüchsige Zeder ist in den Gebirgen von Zypern zu Hause und ist von den vier Arten die am wenigsten häufige. Sie wird oft wie ein Zwerg behandelt. Man sieht sie in Blumentöpfen oder begrenzten Pflanzgruben im Steingarten. Gibt man ihnen genug Platz und guten Boden, werden sie weitaus größer, erreichen jedoch nie die Größe der Himalajazeder, der sie sehr ähnlich sehen.

Ce. deodara   Himalajazeder   Abb. 74   [Klimazone 7]

Diese mit der Zeit sehr groß werdende, aus dem Himalaja stammende Zeder ist in jeder Altersstufe ein eleganter Baum. Die aus Samen gezogenen Pflanzen sind sehr variabel und die Anzahl der benannten Sorten ist groß. Alle haben sie hängende Zweige mit hellgrauen oder graugrünen Nadeln, von denen manche bis 5 cm lang sind. Es gibt auch Mutanten mit reingelben Nadeln.

Ce. d. 'Albospica'
Ein seltener Baum, bei dem die jungen Triebe weiße Spitzen haben. Neigt dazu, in der heißen Sonne zu „verbrennen".

Ce. d. 'Aurea'
Während des Frühjahrs hat diese prächtige Pflanze an allen dem Licht ausgesetzten Blattoberflächen goldgelbe Färbung. Die aus-

reifenden Nadeln ändern ihre Farbe zum Grünlichgelb hin. Diese Pflanze ist für kleinere Gärten geeignet und das nicht nur ihrer Farbe wegen, sondern auch weil sie langsamer wächst und zu den kleiner bleibenden Formen gehört.

Ce. d. 'Aurea Pendula' Abb. 68
Hängender als die vorhergehende Sorte. Die Nadeln sind im Sommer gelbgrün und im Winter leuchtend golden.

Ce. d. 'Pendula'
Man sieht sie oft als niederliegende, teppichbildende Form, deren Triebe sich nur an den Enden aufrichten. Sie können aber durch Stammschulung zu einem hübschen kleinen Trauerbaum herangezogen werden.

Ce. d. 'Pygmy'
Sammler von Zwergkoniferen schätzen diesen Winzling, dessen Ausgangsform 1943 in einer kalifornischen Baumschule entdeckt wurde. Er bildet eine Art Hügel aus ziemlich stacheligen, bereiften Nadeln.

Ce. d. Robusta'
Eine kräftig wachsende, pyramidenförmige Pflanze. Die weit ausladenden Äste haben lange, blaugrüne Nadeln und hängende Spitzen.

Ce. libani   Libanonzeder   [Klimazone 5]

Dieser langsam wachsende Baum ist aus großen Gärten und Parks bekannt. Junge Exemplare sind pyramidenförmig, mit zunehmendem Alter flacht die Spitze ab. Die ausladenden Zweige haben reingrüne Nadeln. Da sie durch starke Schneefälle beschädigt werden können, sollte man sie möglichst abstützen. Die Libanonzeder ist bei uns nur an geschützten Stellen wirklich winterhart.

Ce. l. 'Comte de Dijon'
Eine Miniatur mit konischer Wuchsform und stark reduzierten Zweigen und Trieben, an denen meergrüne Nadeln mit scharfen Spitzen stehen.

Ce. l. 'Golden Dwarf'
(syn. 'Aurea Prostrata')
Mit gelbem, im Winter besonders leuchtendem Laub, geringer Größe und horizontalen, manchmal niederliegenden Zweigen nimmt diese Pflanze unter den Libanonzedern eine Sonderstellung ein.

Ce. l. 'Nana'
Eine aparte Pflanze für den Steingarten, kompakt und pyramidenförmig. Alles ist an ihr stark verkleinert, auch das blaugrüne, nadelförmige Laub.

Ce. l. 'Pendula'

Ein seltener Baum mittlerer Höhe mit ausgesprochen eng stehenden, hängenden Zweigen.

Ce. l. 'Sargentii'

Diese Trauerform, die aus dem Arnold Arobretum in Boston, USA, stammt, ist wie für einen Ehrenplatz im Steingarten geschaffen, wo ihre mit blaugrünen Nadeln besetzten Triebe sich von einem kurzen Stamm aus kaskadenförmig über einem Gesteinsprofil ausbreiten können. Es sollte auch möglich sein, ein Exemplar durch Anbinden an einen Pfahl zu einem kleinen Trauerbaum heranzuziehen.

Ce. l. var. stenocoma

Im Südwesten Anatoliens (Türkei) Wälder bildend. Wird von den Botanikern als eigene geographische Rasse betrachtet. In der Kultur tritt sie als intermediäre Form von *C. libani* und *C. atlantica* mit silbrigem Laub auf. Als junge Pflanze pyramidenförmig und als ältere Exemplare dann mit abgeflachter Spitze.

Larix   Lärche

Die Gattung der Lärchen gehört zu den wenigen laubabwerfenden Koniferen. Sie haben nicht nur eine große Bedeutung als Nutzholzproduzenten, sondern ergeben auch ornamentale Gartenbäume. Es sind etwa zehn Arten bekannt, doch abgesehen von den forstwirtschaftlich genutzten sind nur wenige in Kultur. Die weniger häufigen Arten sind höchstens in Arboreten oder Privatsammlungen zu sehen. Die hier beschriebenen sind schnellwüchsige Formen und mit Ausnahme der hängenden Sorten als junge Bäume kegelförmig. Sie bilden einen geraden Stamm aus. Alte Exemplare verlieren meist ihre unteren Zweige und haben eine breite Krone. Das nadelförmige junge Laub sitzt an hängenden Trieben, die in ihrer Form denen der Zedern sehr ähnlich sehen, und ist als Vorbote des Frühlings immer sehr willkommen. Die Herbstfärbung in Gelb und Altgold ist nicht minder schön. Im Garten werden sie hauptsächlich zur Abschirmung genommen oder in Gruppen gepflanzt, um eine Schutzzone zu bilden. Sie entwickeln sich auf den meisten Böden gut, auch auf armen Sand- und Kiesböden, mögen aber keine Böden mit schlechtem Wasserabzug. Männliche und weibliche Blüten sitzen auf dem gleichen Baum. Die weiblichen Kätzchen fallen, wenn sie sich öffnen, an den im Frühjahr noch kahlen Zweigen auf. Die Zapfen reifen im ersten Jahr. Obwohl die Samen ausfallen, sobald sie reif sind, bleiben die leeren Zapfen noch eine Weile am Baum hängen. Wenn man die Art durch Anzucht aus Samen vermehren will, sollte man die Samen im zeitigen Frühjahr in einen gut durchlässigen, warmen Boden aussäen. Da sie sehr schnell heranwachsen, werden die für die Forstwirtschaft bestimmten Sämlinge schon nach einem Jahr verpflanzt. Für den Garten nimmt man meist zweijährige Pflanzen, mit älteren hat man nicht immer gute Erfolge. Sorten werden durch Pfropfung auf gut eingewöhnte Sämlinge vermehrt — ein ganz besonderes Verfahren. Von den sehr attraktiven Zwergklonen ist keiner allgemein in Kultur.

L. decidua   **Europäische Lärche**   [Klimazone 2]

Dieser Baum ist schon lange in Kultur und wertvoll für die Forstwirtschaft. Im Garten schätzt man ihn, wenn schnell wachsende Schutzhecken gebraucht werden. Junge Exemplare sind kegelförmig und haben quirlständige Äste. Von diesen gehen die hängenden, gelben Triebe mit den leuchtend grünen Nadeln aus, die im Sommer dunkelgrün und im Spätherbst reingelb werden.

L. d. 'Pendula'

Hängeformen der Spezies hat man sowohl wild wachsend wie auch in Gärten gefunden. Die schönsten Exemplare sind diejenigen, die man durch Pfropfung von Reisern in einer Höhe von 2 m (oder mehr) erzielt hat. Dann hängen die Triebe besonders anmutig herab.

L. × *eurolepis*   [Klimazone 4]

Diese Pflanze ist das Ergebnis einer Kreuzung zwischen *L. decidua* und *L. kaempferi*. Sie wurde um 1900 in Dunkeld, Pertshire, Schottland, entdeckt. Wegen der den Hybriden eigenen Wüchsigkeit und Resistenz gegenüber Krankheiten wurde sie zu einem sehr geschätzten Baum in der Forstwirtschaft, meist beide Eltern in bezug auf die Wuchsfreudigkeit übertreffend.

L. kaempferi **Japanische Lärche** Abb. 104 [Klimazone 7]

Auch eine schnellwüchsige Lärche, die besonders in den westlichen Bezirken der Britischen Inseln gepflanzt wird. Bei uns
gedeiht sie nur bei genügend Luft- und Bodenfeuchtigkeit. Obwohl sie bis 30 m hoch werden kann, wird sie doch nicht so groß
wie die Europäische Lärche, von der sie sich außerdem noch
durch ihr stärker bereiftes Sommerlaub unterscheidet, das sich
im Herbst ledergelb färbt, ehe es abgeworfen wird.

L. k. 'Pendula'

Eine große, sehr schöne Hänge-
form mit blaugrauem Laub. Ein
im letzten Jahrhundert in Deutschland herangezogener Baum. Leider
ist diese prächtige Form nur allzu
selten in Kultur.

Picea   Fichte

Die Fichten sind eine große Gattung immergrüner Bäume, die in
den riesigen Wäldern eines großen Teils der nördlichen Hemisphäre verbreitet sind. Viele von ihnen sind wichtige Nutzholz-
lieferanten. Auch Terpentin, ein Nebenprodukt, stammt von ihnen. Junge Pflanzen sind normalerweise im Umriß pyramidenförmig, die Äste sind quirlig angeordnet. Alte Exemplare sind
bei manchen Arten lockerer verzweigt, die Stämme sind sichtbar.
Das Laub ist schmal, oft hart, nadelförmig und sitzt auf „Kis-
sen", winzigen Erhöhungen auf den Zweigen, die stehen bleiben,
auch nachdem die Nadeln abgeworfen wurden, was dazu führt,
daß sich die Triebe „reibeisenartig" anfühlen. Die männlichen
Blüten haben die Form runder Kätzchen und sind entweder rot
oder gelb. Die fruchtenden Blütenstände des gleichen Baumes
entwickeln sich zu in Büscheln stehenden, hängenden Zapfen, die
innerhalb des gleichen Jahres reifen. Wenn sie reif sind, öffnen
sich die Zapfen, damit die geflügelten Samen herausfallen und
vom Wind weitergetragen werden können. Die leeren, aber sonst
noch vollständigen Zapfen fallen später als Ganzes vom Baum.
Einige der Arten sind sehr ornamentale Gartenpflanzen. Die
großwüchsigen Arten eignen sich für Solitäre oder zur Abschir-

mung. Die vielen Formen mit Zwergwuchs oder buntem Laub sind für kleinere Grundstücke geeignet. Vermehrung der Art erfolgt durch Samen, die man im Herbst oder Frühling aussät. Von vielen Formen (auch den Zwergen) kann man Stecklinge zur Bewurzelung bringen, wenn man sie im Spätsommer in ein geschlossenes Frühbeet bringt. Besonders heikle Sorten werden Jahr um Jahr von Experten gepfropft. Das ist kein Job für Laien.

P. abies **Gemeine Fichte** oder **Rotfichte** (syn. *P. excelsa)* [Klimazone 5]

Als Wildpflanze in Mittel- und Nordeuropa beheimatet und ein bekannter Forstbaum. Die junge Pflanze ist als Weihnachtsbaum bekannt. Die glänzend grünen Nadeln stehen dicht auf den grauen oder rötlichen Trieben. Die Zapfen sind zylindrisch, bis 15 cm lang und stehen zu mehreren beieinander. Diese Fichtenart hat im Laufe der Jahre eine Unmenge von Varianten hervorgebracht. Nur eine kleine Auswahl der bisher benannten und noch von Baumschulen geführten Sorten kann auf den folgenden Seiten beschrieben werden.

P. a. 'Acrocona'
Ein schließlich groß werdender Busch mit ausladenden oder hängenden Zweigen, der im Frühling an fast jeder Zweigspitze leuchtend rote, zapfenförmige Blütenstände hervorbringt, sogar schon an jungen Pflanzen. Außerdem trägt er auch normale Zapfen.

P. a. 'Aurea'
Junges, hellgelbes Laub, das bei manchen Pflanzen bald grün, bei anderen tief golden oder streifig wird. Wenn man in einer Gruppe großwüchsiger Formen einen Farbkontrast wünscht, wäre dies eine gute Ergänzung.

P. a. 'Clanbrassiliana'
Eine der ältesten Zwergkoniferen. Kompakt und dicht, wächst sie zu einem Busch mit breiter Spitze heran. Viele der im Handel befindlichen Pflanzen sollen angeblich zu 'Clanbrassiliana Elegans' gehören, einer ähnlich aussehenden, aber rascher wachsenden Sorte.

P. a. 'Cranstonii'
Dieser kleine, pyramidenförmige Baum britischen Ursprungs wurde 1855 erstmalig registriert. Weil die Äste fast so gut wie keine Seitenzweige haben, wirkt seine Wuchsform sehr offen.

P. a. 'Echiniformis' Abb. 82
Eine langsam wachsende, dichte, halbkugelige Form aus zusammengedrängten Trieben, die in unzähligen Knospen und langen, stechenden, nach vorn gerichteten Nadeln enden.

P. a. 'Gregroyana'
Wird manchmal mit der obigen Sorte verwechselt, ist aber als erwachsene Pflanze die kleinere von beiden. Sie wächst extrem langsam. Unser Exemplar mißt zehn Jahre nach dem Erwerb nur 0,3 x 0,5 m. Die Pflanze hat blaßgrüne, seitwärts gerichtete Nadeln.

P. a. 'Inversa'
Mit fast senkrecht herabhängenden Zweigen. Eine faszinierende Pflanze läßt sich erzielen, wenn man ihren Stamm durch künstliches Hochziehen vertikal erhalten kann. Wenn man sie sich selbst überläßt, breitet sie sich zu stark aus.

P. a. 'Little Gem' Abb. 77
Der Name dieser winzigen Pflanze braucht keine nähere Erklärung. Sie wurde in den Niederlanden aus einem Sport von 'Nidiformis' herangezogen. Sie sieht wie ein runder, grüner Wuschelkopf aus und hat sehr kurze, leuchtend grüne Nadeln.

P. a. 'Nidiformis' Abb. 80
Eine bekannte Form mit rundlichem, nach den Seiten sich ausbreitendem Wuchs und einer zentralen Einbuchtung, der sie ihren Namen verdankt. Letztere verschwindet bei alten Pflanzen.

P. a. 'Ohlendorffii' Abb. 76
Eine ebenfalls langsam wachsende, häufig gepflanzte, kleine Fichte. Die kleinen Nadeln sind gelbgrün, die betont spitzen Knospen leuchtend orange.

P. a. var. *pendula*
Ein Botanischer Name, der mitunter von Gärtnern benutzt wird. Er faßt eine Reihe von Klonen zusammen (von denen viele benannt sind), die alle hängende Zweige besitzen.

P. a. 'Pendula Major'
Ein kräftig wachsender, pyramidenförmiger Baum. Die anmutig hängenden Zweige kommen am besten zur Wirkung, wenn man ihn allein auf eine Rasenfläche pflanzt.

P. a. 'Procumbens'
Dies ist eine niedrige, breite und sehr wüchsige, kriechende Pflanze. Man sollte sie in den Steingarten setzen oder vor eine Randbepflanzung.

P. a. 'Pumila Nigra'
Eine sehr attraktive Sorte mit dunklen, glänzend grünen Nadeln und auffallend orangefarbenen Winterknospen. Langsam wachsend, mit steif nach auswärts gerichteten Zweigen.

P. a. 'Reflexa'
Diese kräftig wachsende Pflanze hat normale Belaubung an hängenden Zweigen, ein Stamm fehlt aber völlig, es sei denn, er würde

durch Schulung aufgebaut. Am allerbesten wirkt diese Fichte in größeren Steingärten, wo sie über Gesteinsbrocken herunterranken kann.

P. a. 'Remontii'
Wächst allmählich zu einer Pflanze von sehr regelmäßiger Kegelform heran. Die Nadeln sind gelblich-grün. Langsam wachsend, braucht viele Jahre, um eine Höhe von 3 m zu erreichen.

P. a. 'Repens'
Niederliegend, teppichbildend, regelmäßig im Umriß, wenn sie genug Platz hat. Dicht, sich nach allen Seiten ausbreitend, mit der Zeit in der Mitte höher werdend.

P. breweriana   Siskiyou-Fichte   Abb. 75   [Klimazone 2]

Ein schöner Baum, der aber auch wild sehr selten ist, da sich sein Verbreitungsgebiet auf Stellen in den Siskiyou Mountains des Grenzgebietes von Kalifornien und Oregon beschränkt. Er wird nur mittelgroß und ist deshalb für die meisten Gärten geeignet. Der Wuchs ist aufrecht, breit pyramidenförmig, die weitreichenden Äste tragen sehr lange, hängende Zweige mit blaugrünen Nadeln. Man braucht eine Menge Geduld, bis die Pflanze die Größe des herrlichen Exemplars erreicht hat, das einer grünen Fontaine gleich im Great Park, Windsor, steht, wie es die Abbildung zeigt; aber das zahlt sich aus.

P. engelmannii   Engelmanns-Fichte   [Klimazone 2]

Obwohl dieser dichte, pyramidenförmige Baum aus den Rocky Mountains des westlichen Nordamerika in seiner Heimat bis 50 m hoch wird, ist er in Kultur normalerweise wesentlich kleiner. Er ist sehr winterhart und wächst in vielen Böden (mit Ausnahme von Kreide). Die weichen, grünen, in einer scharfen Spitze endenden Nadeln stehen auf der Oberseite der rötlichbraunen Triebe. Die Zapfen sind oval oder zylindrisch, grün mit einem Purpurschimmer. Die Sorte 'Glauca' hat eine bessere, heller graue Farbe als der Typus.

P. glauca   Weißfichte   [Klimazone 2]

Diese große, äußerst winterharte Spezies kommt aus Kanada und dem Nordosten der USA, wo sie als wichtiger Forstbaum gilt, dessen Holz für die Papierfabrikation gebraucht wird. Ihr

204

besonderer Wert liegt in ihrer Robustheit und der Fähigkeit, auch an ungünstigen Standorten zu gedeihen. Die Pflanze entwickelt den für die Gruppe so typischen pyramidenförmigen Umriß, hat lange, weit ausladende Äste, die an den Enden nach oben streben. Die Nadeln sind hellgrün und enden in einer hornigen Spitze. Die schmalen Zapfen haben eine stumpfe Spitze.

P. g. var. *albertina* 'Conica'
(siehe *P. g.* 'Conica')

P. g. 'Conica' Zuckerhutfichte
Abb. 81
Diese beliebte, langsam wachsende Form wird wegen ihres eleganten konischen Wuchses und des leuchtend grünen Laubes besonders geschätzt. Ursprünglich war sie ein Wildling, doch inzwischen ist sie weltweit verbreitet. Wichtig ist eine regelmäßige Überwachung im Frühling und Frühsommer, um mit einem entsprechenden Insektizid einem Befall durch Rote Spinnmil-

ben (einem häufigen Feind) begegnen zu können.

P. g. 'Echiniformis'
Eine hübsche Zwergpflanze, die 1855 in Frankreich herausgebracht wurde. Sie bildet einen flachkugeligen Busch aus kleinen Trieben, die mit nach vorn gerichteten, graugrünen Nadeln dicht besetzt sind.

P. g. 'Nana'
Ein rundlicher Zwergstrauch mit steifen Zweigen, die blaugraue Nadeln tragen.

P. jezoensis **Yedo-** oder **Ajanfichte**   [Klimazone 4]

Ein sehr großer Baum aus Zentral- und Nordasien. Bei in Gärten angepflanzten Exemplaren handelt es sich meist um var. *hondoensis,* die Hondofichte. Der Baum wächst aufrecht und sehr symmetrisch. Sein Laub ist oberseits silbrig und stumpfgrün auf der Unterseite. An der erwachsenen Pflanze sind die leuchtend karmesinroten männlichen Blüten ein zusätzlicher Schmuck. Dieser Baum ergibt eine prächtige Solitäre für die Rasenfläche. Er leidet nicht wie die Art unter den Frösten im Frühjahr.

P. likiangensis **Likiang-Fichte**   [Klimazone 5]

Ein interessanter chinesischer Baum mit ziemlich offener Wuchsform, in Kultur eine Höhe von 20 m erreichend. Er ist durch zwei Varietäten vertreten:

P. l. var. *likiangensis*
Lange, weit ausladende Äste mit
aufsteigenden Enden. Die Nadeln
sind abgeflacht, haben scharfe
Spitzen, eine blaugrüne Ober- und
weiße Unterseite. Blüht im Frühling überreich mit roten Kätzchen.
Die jungen Zapfen sind rötlich.

P. l. var. *purpurea*
Ein Baum von rundlichem Umriß
dicken, ausladenden Ästen. Die
satt purpurfarbenen Zapfen ver-
leihen der Pflanze im Sommer einen besonderen Reiz.

P. mariana (syn. *P. nigra*) Schwarzfichte [Klimazone 2]

Kommt in der Natur in Alaska, Labrador, Michigan und Neu-
fundland vor und variiert in der Form je nach der Höhenlage
vom großen Baum bis zum Zwergstrauch. Meist haben die Pflanzen einen pyramidenförmigen Umriß mit quirlig stehenden Ästen
und bläulichgrünen Nadeln. Die unreifen Zapfen sind dunkelpurpurn und bleiben, nachdem die Samen ausgefallen sind, noch
bis zu dreißig Jahre danach auf dem Baum.

P. m. 'Doumetii' Abb. 86
Obwohl die Pflanze eine Größe
von 5 m erreichen kann, zählt man
sie zu den langsam wachsenden
Formen. Sie wächst zu einem
pyramidenförmigen oder oben abgerundeten Busch mit breiter Basis
heran. Die ausladenden Zweige
sind dicht mit dünnen, silbriggrü-
nen Nadeln besetzt.

P. m. 'Nana' Abb. 79
Eine dichte, runde, kompakte
Pflanze mit radiär stehenden Trieben und blau bereiften Nadeln.
Unsere Pflanze (Abb. 79) mißt immer noch nicht mehr als 0,3 x 0,5
m, nachdem wir sie vor 12 Jahren
als gut entwickelte Pflanze ge-
kauft haben.

P. omorika Serbische Fichte Abb. 84 [Klimazone 4]

Im Reich der Koniferen gibt es kaum einen prachtvolleren Anblick als eine Gruppe dieser schlanken, ihre Umgebung turmartig
überragenden Bäume. Sie sind von extrem schmaler Wuchsform.
Ihre hängenden Zweige biegen sich an den Spitzen aufwärts. Die
Nadeln sind tiefgrün und silbern. Die Zapfen sind klein, konisch
und im jungen Zustand dunkelpurpurn. Die Art hat ein sehr
beschränktes Verbreitungsgebiet in Jugoslawien, wo sie in sauren
Bodenanschwemmungen auf Kalkfelsen wächst.

P. o. 'Expansa'
Eine ungewöhnliche Pflanze mit normal großem Laub, jedoch fast niederliegend und breitwüchsig, die Zweigenden sind aufsteigend.

P. o. 'Nana'
Ein kompakter, sehr dichter kleiner Strauch. Breiter als hoch, mit kleinen, blaßgrünen Nadeln, die nach oben gedreht sind, so daß die silbrigen Streifen sichtbar werden.

P. o. 'Pendula'
Eine Selektion, bei der die hängenden Äste dem Stamm dicht anliegen. Das Laub ist graugrün, weicher als beim Typus.

P. orientalis Orientalische, Kaukasus-, Sapindus-Fichte
[Klimazone 4]

Ein großer, pyramidenförmiger Baum von den Gebirgshängen des Schwarzmeergebietes. Im Umriß ähnelt sie *P. abies,* aber sie wächst kompakter und hat bedeutend kürzere Nadeln. Diese sind nach vorn gerichtet und halbradiär auf der Oberseite der braunen Triebe angeordnet. Die schmalen, langen Zapfen sind jung purpurn.

P. or. 'Aurea'
(syn. 'Aureospicata') Abb. 85
Es sieht frappierend aus, wenn in jedem Frühjahr der neue cremefarbene Maiwuchs erscheint, der sich allmählich zu einem Goldton vertieft und später zu einem zarten Grün verblaßt, wobei der Strauch jedoch das ganze Jahr über einen goldenen Schimmer behält. Die älteren Nadeln an diesem großen und schlanken Busch sind tiefgrün.

P. or. 'Gracilis'
Normalerweise sieht man diese Pflanze als Busch mit dichten Trieben, die mit leuchtend grünen Nadeln besetzt sind. Ältere Exemplare sind groß, schmal aufrecht oder pyramidenförmig.

P. pungens Stechfichte
[Klimazone 2]

Wird in ihrer Heimat, in den Gebirgen im Westen der Vereinigten Staaten, über 30 m hoch. So hoch werden die Bäume in Kultur nur selten, wo meist die Formen mit dem rein blaugrünen Laub angepflanzt werden. Weil sie so ausgesprochen schöne Farbvarianten bilden, gehören diese benannten Klone zu den begehrtesten überhaupt und die Lieferanten haben alle Mühe, den Be-

207

darf an gut entwickelten Exemplaren zu decken. Ihre mehr oder weniger radial angeordneten Nadeln sind gebogen, dick und stechend und sitzen an gedrungenen, weiß- oder orangefarbenen Trieben. Die Äste stehen in horizontalen Quirlen. Der junge Baum wächst pyramidenförmig mit breiter Basis. Bei älteren Exemplaren stehen die Äste zur Krone hin sehr dicht, der Stamm ist kahl. Die Zapfen sind blaßgelb. Die gesamte Gruppe (und das gilt auch für die aus Samen gezogenen Bestände der Art) enthält wertvolle Gartenschmuckpflanzen, wozu besonders diejenigen zu rechnen sind, die in den ersten Jahren mit bis zum Boden reichenden Ästen kräftig gedeihen. Sie wachsen in trocknen und normalen Böden, sind aber in ersteren besonders anfällig gegen Rote Spinnmilben.

P. p. 'Compacta'
Ein dichter Busch, bei dem alle Teile gestaucht sind, mit horizontalen Zweigen, die graugrünes Laub tragen. Eine ältere anerkannt gute Sorte, die aus im freien Gelände gesammelten Samen gezogen wurde.

P. p. 'Endtz'
Wurde von einer holländischen Baumschule eingeführt. Wächst zu einer breiten Pyramide mit steifen, horizontalen Zweigen heran. Nadeln tiefblau.

P. p. 'Glauca'
Dies ist ein Sammelname für alle blauen Sämlinge, die wildwachsend gefunden bzw. in Gärten aus Samen herangezogen wurden. Im großen und ganzen wachsen sie langsamer und bleiben kleiner als die Normalformen der Art. Obwohl sie mit ihren von Silbergrün bis Blaugrün variierenden Laubfarben durchaus gut aussehen, zei-

gen die mehrnamigen Klone bessere Farben.

P. p. 'Glauca Pendula'
(syn. 'Pendula')
Diese ungewöhnliche Pflanze hat die gewohnte leuchtende Laubfärbung wie die Besten aus ihrer Gruppe, wächst aber sehr eigenartig. Da sie einen schwachen und meist auch gebogenen Stamm hat, ergibt sich eine Pflanze, die weder aufrecht noch völlig niederliegend ist. Die Äste schleifen am Boden, denn sowohl Äste der ersten wie der zweiten Ordnung sind hängend und richten sich an den Enden auf.

P. p. 'Glauca Prostrata' Abb. 83
Dieser Name ist für eine Gruppe wertvoller Gartenpflanzen in Gebrauch, die — sei es durch Zufall oder Absicht — durch Veredlung mit einem tief am Baum sitzenden Seitenast entstanden, der gewöhnlich von einem anerkannt guten

Klon stammt. Mr. Welch nennt sie „cultivariants" und die Art und Weise, wie sie einseitig ausgerichtet wachsen, so als wären sie noch ein Teil des ursprünglichen Baumes, gibt den Hinweis auf ihren Ursprung. Wenn sie einem von Natur aus leicht hängend wachsenden Seitenzweig entstammen, solchem wie von 'Koster', erhält man ausgesprochen attraktive Pflanzen.

P. p. 'Globosa' Abb. 78
Ein rundlicher Busch, der aus kleinen, mit leuchtend blauen Nadeln bekleideten Trieben besteht. Die hier abgebildete Pflanze, die im Pygmy Pinetum, Devizes, Wiltshire, England, aufgenommen wurde, zeigt, daß sie geradezu ideal ist, wenn eine kleine Größe gebraucht wird.

P. p. 'Koster'
Eine aufrechte Pyramide mit leicht gesenkten Zweigen. Sie ist die bekannteste der Blaufichten. Ihre intensiv silbrigblauen Nadeln und ihre elegante Wuchsform haben ihr allgemeine Beliebtheit eingebracht.

P. p. 'Moehrheimii'
Eine ebenfalls beliebte Pflanze, die manchmal als 'Koster' verkauft wird. Auch sie hat leuchtend blaue Nadeln und wächst zu einem dichten Busch heran. Die Zweige stehen aufrechter.

P. p. 'Thomsen'
Eine besonders hübsche Pflanze mit langen, ziemlich dicken Nadeln, die glänzend weißblau sind und an gedrungenen Zweigen sitzen. Wächst zu einem völlig symmetrischen Exemplar heran.

P. sitchensis Sitkafichte [Klimazone 6]

Ein großer Baum aus dem westlichen Nordamerika und als Forstgehölz auch in Europa eingeführt. Man schätzt ihn, wo man eine schnellwüchsige und gleichzeitig dekorative Abschirmung braucht. Er gedeiht in einer ganzen Reihe von Böden, sogar in fast ständig feuchten. Trockene Standorte oder kalte Senken werden dagegen nicht vertragen. Der Wuchs ist pyramidenförmig, die Äste stehen in Quirlen. Die Zweige tragen stechende, grüne Nadeln, unterseits mit weißer Zeichnung. Die Zapfen sind lang, zylindrisch, gebogen und zu Anfang gelblich.

P. smithiana Himalaja-Fichte [Klimazone 6]

Von dieser groß werdenden Art weiß man, daß sie in ihrer Heimat 60 m hoch wird. In Kultur erreicht sie nach sehr vielen Jahren meist noch nicht einmal die Hälfte. Die erwachsenen

Exemplare wetteifern im Aussehen mit der schönen Siskiyou-Fichte auf Grund ihrer eleganten, ausladenden Äste mit den langen, hängenden Seitenzweigen. Die Nadeln sind lang und, wenn die Pflanzen gut im Wuchs sind, glänzend dunkelgrün. Sie sind radial um die blaß cremefarbenen Triebe angeordnet. Sollte nur an frostgeschützten Stellen angepflanzt werden. Ein prächtiges Exemplar verlor die jungen Frühjahrstriebe, nachdem wir es vom milden westlichen England an seinen neuen Standort in der Nähe von London gesetzt hatten.

P. torano (syn. *P. polita*)   **Tigerschwanzfichte**
[Klimazone 5]
Ein japanischer Baum mit horizontalen Ästen, der breit pyramidenförmig wächst. Die neuen Triebe sind dick, zuerst cremefarben, dann ledergelb werdend. Die Nadeln sind lang und sichelförmig, mit harten, stechenden Spitzen. Die Zapfen stehen einzeln, sie sind lang und jung gelblich. Eignet sich, als Solitäre angepflanzt zu werden. Das Reizvolle an ihr sind die langen, dunkelgrünen, gekrümmten Nadeln.

Pinus   Kiefer

Die Kiefern sind über den größten Teil der nördlichen Hemisphäre verbreitet und gehören zu den bekanntesten der dekorativen und wirtschaftlich wichtigen Gruppen der Koniferen. Unter ihren vielen Arten gibt es sowohl niedrige Büsche wie hohe Bäume. Auf Grund ihrer Vielgestaltigkeit ist ihnen ein Platz im Garten sicher, sei er groß oder klein. Der Umriß der jungen Pflanzen ist häufig kegelförmig. Bäume entwickeln normalerweise einen einzigen Stamm, dessen Form und Farbe immer reizvoll sind. Bei den Nadeln gibt es zwei verschiedene Typen: Kleine trockenhäutige Schuppenblätter, die mit den neuen Trieben erscheinen und abgeworfen werden, und dann die auffallenderen immergrünen Nadeln. Die Nadeln stehen gewöhnlich in Büscheln zu zweit bis fünf zusammen und sind von einer Scheide umgeben. Bei einigen Arten stehen sie einzeln, bei einer zu sechst bis acht zusammen. Fast immer stehen diese Nadeln an den Kurztrieben sehr dicht, wo sie für mehrere Jahre verbleiben, ehe sie abgeworfen werden. Die den Blütenstaub enthaltenden männlichen Blütenstände sind rot oder gelb. Die weiblichen Blütenstände stehen am gleichen Baum, sind holzig und entwickeln sich später zu Zapfen. Wenn der Blütenstaub auf die offenen Schuppen der weiblichen Blütenstände gefallen ist, schließen sich diese, obwohl die endgültige Befruchtung mitunter erst nach Verlauf eines weiteren Jahres statfindet. Sobald sie befruchtet sind, wachsen die Zapfen schnell zu der jeweiligen artentsprechenden Größe heran und reifen normalerweise innerhalb des zweiten Jahres. Nicht immer entläßt der Zapfen die reifen Samen, manche bleiben noch für eine ganze Anzahl von Jahren darin.

Außer den enormen Mengen an Holz für die Papierfabrikation, den die Kiefern jährlich erbringen, liefern sie auch noch andere Produkte, wie Kolophonium, Terpentin und Pech aus dem Harz. Aus den Nadeln gewinnt man durch Destillation Kiefernöl und die Samen — Kiefernkerne oder Piniennüsse — sind bei vielen Arten eßbar.

Ein nährstoffarmer, gut durchlässiger, saurer Boden sagt ihnen am ehesten zu, obwohl es in einer so großen Gattung von annähernd hundert Arten immer einzelne geben wird, die fast in jedem Boden und jeder Umgebung gedeihen können. Zur Vermehrung der Art nimmt man die Samen. Heikle Sorten werden im Frühling unter Glas herangezogen, wobei man aufpassen sollte, daß die auskeimenden Samen bei starker Sonneneinstrahlung geschützt werden. Man kann sie im Frühling aber auch gleich in Rillen im Freien aussäen und dann ein Jahr später in ein Anzuchtbeet verpflanzen. Bei einigen wenigen Arten und Sorten bewurzeln sich Stecklinge. Aber das Gros derer, die nicht aus Samen gezogen werden können, muß unter Glas veredelt werden, wobei man im Topf herangezogene Sämlinge der entsprechenden Gruppe als Unterlage nimmt: *P. sylvestris* für die zweinadligen Sorten und *P. strobus* für die anderen. Die meisten Kiefern nehmen es übel, wenn ihre Wurzeln gestört werden und sollten deshalb in Containern gezogen werden, bis sie groß genug sind für ihren Standplatz, oder man sollte sie bereits sehr jung an den ihnen zugedachten Standort pflanzen. Wenn man vor die Wahl gestellt wird zwischen einer winzigen, aber mit

gutem Wurzelsystem versehenen Jungpflanze und einer großen
Pflanze, die womöglich nur eine lange, harte Wurzel und keinen
Ballen aus Faserwurzeln hat, sollte man immer erstere vorzie-
hen.

Pi. aristata   **Grannenkiefer**   [Klimazone 5]

Dies ist eine extrem langlebige Hochgebirgsart aus dem Südwesten der Vereinigten Staaten. Obwohl sie eine Größe von 10 m
oder mehr erreicht, wächst sie doch so langsam, daß sie sich für
den Steingarten eignet. Die Zweige sind nach oben gerichtet und
haben dünne, je zu fünft in Bündeln stehende Nadeln, die nach
vorn gebogen sind und an rostbraunen Trieben stehen. Die blaugrünen äußeren Nadeln sind so stark mit Harzausscheidung betupft, daß man aus der Entfernung den Eindruck gewinnt, der
Baum wäre von irgendwelchen Schadinsekten befallen.

Pi. armandii   **Armands-Kiefer**   [Klimazone 5]

Ein attraktiver Baum aus den Gebirgsregionen Chinas, Taiwans
und Koreas, der dort über 20 m hoch wird, in Kultur in der
Regel kleiner bleibt. Der Stamm ist grau, die Äste breiten sich
etagenweise aus. Die glatten, gelblichen Zweige tragen dünne,
hell graugrüne, auf der Rückseite weiße Nadeln, die zu je fünft
zusammenstehen. Als junge Pflanzen der bekannteren *P. wallichiana* sehr ähnlich.

Pi. ayacahuite   **Mexikanische Weißkiefer**   [Klimazone 8]

Ein schöner großer Baum aus Mexiko und Guatemala, der in
milden Gegenden 25 m Höhe und noch mehr erreicht. Die weit
ausladenden Zweige tragen lange, graue, zu je fünft stehende
Nadeln. Die harzstreifigen, schmalen, halbmondförmigen Zapfen
sind ein charakteristisches Kennzeichen, besonders weil sie mitunter recht lang werden. Bündel von bis zu 45 cm langen Zapfen
kommen gelegentlich vor.

Pi. balfouriana   **Balfours-Kiefer**   [Klimazone 5]

Ein kleiner Baum, der sowohl wild wie auch in der Kultur selten
vorkommt. Er sieht *P. aristata* sehr ähnlich, sein Laub steht aber
in lockeren Büscheln. Er stammt aus den Gebirgszügen der North
Coast Range und der Sierra Nevada, USA.

Pi. banksiana   **Banks-Kiefer, Strauchkiefer**   [Klimazone 3]

Eine winterharte Art aus den nördlichen USA und Kanda, wo
sie je nach Lage 7 bis 20 m groß wird. Obwohl der Baum nicht
besonders wirkungsvoll ist, schätzt man ihn wegen seiner Trok-
kenheitsresistenz. Die blaßgrünen Nadeln sind zu Paaren ver-
dreht. Die Zweige sind lang und biegsam. Die Zapfen sind klein
und bleiben viele Jahre lang geschlossen.

Pi. bungeana   **Bunges-Kiefer**   [Klimazone 4]

Dieser aus China stammende Baum kann eine Höhe von 20 m
und mehr erreichen. Er bildet manchmal mehrere Stämme aus
und entwickelt allmählich eine abgerundete Krone. Sein besonderer Reiz liegt in seiner auffallenden Borke, die sich beim jungen
Baum wie bei der Platane abschülfert und die darunter liegende
weiße Rindenschicht sichtbar werden läßt. Bei älteren Bäumen
ist der Stamm völlig weiß, aber man wird viele Jahre warten
müssen, bis es dahin kommt. Das Laub ist glatt und dunkelgrün.
Die ovalen Zapfen stehen paarig.

Pi. canariensis   [Klimazone 7]

Ein großer Baum, der in seinem natürlichen Verbreitungsgebiet
über 30 m groß werden kann. Dort war er einmal ein sehr häufiger Waldbaum, wird jetzt aber selten, weil die Bestände sehr
reduziert worden sind. In mildem Klima ergibt er in der Kultur
einen attraktiven kleinen Baum mit geradem Stamm, dünnen
unteren Ästen und glatten Zweigen. Die Nadeln stehen zu dritt
in hängenden Büscheln. Verträgt Kalk und kann auch in Kübel
gepflanzt werden.

Pi. cembra **Zirbelkiefer, Arve** [Klimazone 4]

Eine alpine Art aus Mitteleuropa und dem nördlichen Asien, von regelmäßiger kegelförmiger oder säulenförmiger Gestalt. Langlebig und langsam wachsend. Die Pflanze hat filzige, orangefarbene Triebe und dicht stehende, sattgrüne Nadeln zu je fünft in einer Scheide. Die Zapfen stehen aufrecht auf den Zweigen und sind zuerst purpurn. Sie öffnen sich nicht auf dem Baum, sondern zerfallen auf dem Erdboden, wobei die Samen entlassen werden.

Pi. cembroides **Nußkiefer**

P. c. var. *cembroides* [Klimazone 4] Ein kleiner Baum oder großer Busch, meist noch unter 10 m bleibend, aus den kühleren Gebieten Mexikos und Arizonas. Der Wuchs ist dicht, die Krone abgerundet, die Zweige sind glatt. Die kleinen, dunkelgrünen Nadeln stehen zu dritt oder fünft und sind nach vorn gebogen.

Pi. c. var. *edulis* [Klimazone 4] Bei dieser Form ist die Krone sehr breit, die Äste reichen bis zum Erdboden, die dunkelgrünen Nadeln sind steif. Die kleinen, rundlichen Zapfen sind sehr zahlreich. Die eßbaren Samen werden als piñones verkauft. 'Globe' (Abb. 88) ist eine kleinwüchsige Pflanze mit Büscheln blaugrüner Nadeln.

Pi. contorta **Drehkiefer** [Klimazone 5]

Variabel, wild wachsend ein großer Busch, in Kultur ein Baum von 10 m Höhe oder mehr. Sein Wuchs ist buschig mit horizontalen Ästen, die Triebe sind zuerst grün, dann mehr grau. Die Nadeln stehen in Paaren, sind gedreht und gelblichgrün. Ein in genügend feuchtem Klima für trockene, sandige Böden, jedoch nicht für Kalk geeigneter Baum.

Pi. c. var. *latifolia* Murreykiefer
[Klimazone 5] Ein großer, bis 25 m hoher Baum mit breiten, geraden Nadeln. Wird in großem Maßstab zur Aufforstung trockener und steiniger Böden benutzt.

Pi. densiflora **Japanische Rotkiefer** [Klimazone 4]

Ein großwüchsiger, japanischer Baum, der in vieler Hinsicht unserer heimischen Waldkiefer sehr ähnlich ist, sowohl in seinem äußeren Erscheinungsbild als auch im Hinblick auf die rötliche Borke, die bei jungen Pflanzen besonders auffällig ist. Bei einem alten Exemplar ist der Stamm fast immer gedreht und krumm und zu einem großen Teil frei von Zweigen. Die Nadeln stehen zu zweit zusammen, enden in einer scharfen Spitze und sind lechtend grün. Die Zapfen sind rosabraun und bleiben mehrere Jahre am Baum.

Pi. d. 'Oculis-draconis'
Bei dieser Form sind die Nadeln gelb gebändert, was die Pflanze, von oben gesehen, bunt erscheinen läßt.

Pi. d. 'Pendula'
Meist ein niedriger Busch mit herabhängenden Zweigen, die sich auf dem Erdboden ausbreiten.

Pi. d. 'Pumila' Abb. 93
Eine kleinwüchsige Form.

Pi. d 'Umbraculifera'
Ein großer Busch mit einer regenschirmähnlichen Masse von Zweigen. Sehr langsam wachsend.

Pi. halepensis Seekiefer [Klimazone 7]

Ein mäßig hoher, bis zu 20 m groß werdender Baum. Er stammt aus dem Mittelmeergebiet und wird dort auch viel angepflanzt. Der Stamm ist mehrfach gedreht, die Äste sind unregelmäßig, die Zweige dünn und glatt. Die grünen Nadeln stehen zu zweit zusammen und bilden oft an den Zweigenden Büschel. Die Pflanzen sind in warmen und trockenen Gebieten für jeden gut durchlässigen Boden geeignet. Junge Pflanzen sind empfindlich, werden aber im Laufe ihrer Entwicklung robuster.

Pi. × *holfordiana* [Klimazone 7]

Mit ihren weit ausladenden Zweigen ist die schnell wachsende Pflanze bei entsprechendem Klima eine Zierde für jeden Garten. Die Pflanze ist eine natürliche Hybride zwischen den Arten *P. ayacahuite* und *P. wallichiana*. Die Kreuzung erfolgte im Westonbird Arboretum, Gloucestershire, im Jahre 1906, und dem früheren Besitzer, Sir George Holford, zu Ehren wurde ihr der Name verliehen. Mit ihren langen, silbergrünen Nadeln und den sehr langen, schmalen Zapfen gleicht sie in ihrer äußeren Erscheinung der Tränenkiefer sehr.

215

Pi. jeffreyi   **Jeffreys-Kiefer**   [Klimazone 5]

Ein winterharter, sehr dekorativer, großer Baum, der bis zu 60 m hoch werden kann. Er ist im Südwesten der USA zu Hause und hat zu je dreien stehende, bläuliche Nadeln an dicken Trieben. An einem alten Baum mit mächtigem, rotbraunem Stamm ist die Krone pyramiden- oder spitzturmförmig. Die Zapfen sind schmal und sehr lang.

Pi. leucodermis   **Schlangenhautkiefer**   [Klimazone 5]

Ein variabler Baum von 20 m Höhe oder mehr, der in Italien und den Balkanländern zu Hause ist. Er wächst kräftig und ist pyramidenförmig. Der Stamm hat eine graue Rinde. Die paarig stehenden Nadeln sind steif, tiefgrün, glänzend (die jungen Nadeln sind blasser) und krümmen sich nach innen zum Trieb hin. Die Zapfen sind meist blau und werden später braun.

Pi. l. 'Compact Gem' Abb. 91
Ein sehr attraktiver, langsam wachsender, dichter und aufrechter Busch mit langen, senkrecht stehenden Nadeln, die in dicht gedrängten Quirlen um die steifen Triebenden herum stehen.

Pi. montezumae Abb. 95   [Klimazone 7]

Ein schöner Baum aus den Bergen Mexikos und Guatemalas mit außerordentlich dekorativen Nadeln. Der Stamm ist rötlichbraun und die Äste formen eine große, kuppelförmige Krone. Die Nadeln sind grün bereift und stehen zu fünft bis acht in nach oben gebogenen Büscheln. Die Länge der Zapfen variiert. In kalten Ländern ist die Pflanze ziemlich frostempfindlich, bildet aber einen sehr wirkungsvollen Schmuck für ein Kalthaus.

Pi. monticola   **Westamerikanische Weymouthskiefer**
[Klimazone 5]

Ein eleganter Baum aus den Wäldern des westlichen Nordamerika. Er bildet eine schlanke Pyramide. Die dicken Äste verschwinden fast hinter den grauen Nadeln, die in Büscheln zu fünft stehen. Die Zapfen sind sehr lang, gekrümmt und blaßbraun.

Pi. mugo (syn. P. montana) **Bergkiefer, Legföhre**
Abb. 101   [Klimazone 2]

Variabel, vom niedrigen buschigen Strauch bis zum Baum. Ist in den Gebirgen Mitteleuropas beheimatet und wird von den Botanikern in drei Gruppen unterteilt, die sich durch ihre Zapfen von einander unterscheiden. Sie sind winterhart, kalktolerant und haben zu zweit stehende, steife, dunkelgrüne Nadeln. Sie blühen sehr üppig und die Zapfen stehen einzeln oder zu mehreren.

Pi. m. 'Gnom' Abb. 90
Ein vielästiger, dichter, rundlicher Busch. Die radial angeordneten Nadeln sitzen an gelben Trieben. Eine gut verwendbare Gartenpflanze, die mit der Zeit eine Höhe von 2 m erreicht. Sie wurde aus Samen der var. *mugo* von der Firma H. den Oden & Sons in Boskoop, Niederlande, aufgezogen und vertrieben.

Pi. m. 'Mops' Abb. 94
Eine erstklassige Pflanze für den Steingarten mit kurzen Nadeln. Wächst niedrig kuppelförmig.

Pi. m. ssp. *mugo*
Krummholzkiefer, Latsche, Legföhre
Ein breiter Busch oder gelegentlich ein kleiner Baum. Heimat: Von den Ostalpen bis zum Balkan. Eignet sich für die Hintergrundbepflanzung im Stein- oder Heidegarten.

Pi. m. ssp. *pumilio*
Zwergkiefer, Legföhre Abb. 89
Auch variabel, aber in der Mehrzahl winzige, dichte, fast niederliegende Sträucher ohne eindeutigen Haupttrieb.

Pi. muricata **Bischofskiefer**   Abb. 100   [Klimazone 7]

Meist ein kleiner Baum mit flacher Krone, doch manchmal größer und pyramidenförmiger. Die Nadeln stehen zu zweit, sind steif und gedreht, die fruchtenden, mit Dornen besetzten Zapfen an den jungen Pflanzen bleiben noch jahrelang ungeöffnet und überleben häufig Waldbrände. Die Pflanze kommt in den rauhen, ungeschützten Küstengebieten Kaliforniens vor und eignet sich daher für ähnlich geartete Standorte.

Pi. nigra (syn. P. austriaca) **Schwarzkiefer**   Abb. 89

Bäume mit einem weiten Verbreitungsgebiet in Mittel- und Südeuropa. Jung pyramidenförmig, im Alter kuppelförmig werdend.

217

Wenn man sie in Gruppen pflanzt, verlieren sie die unteren Äste, wodurch der rauhe, graubraune Stamm sichtbar wird. Die zu zweit stehenden Nadeln sind steif und leuchtend- bzw. dunkelgrün.

Pi. n. 'Hornibrookiana' Abb. 96
Eine strauchige, niedrig wachsende Form für den Steingarten, die aus dem „Hexenbesen" einer Wildpflanze entwickelt wurde.

Pi. n. ssp. *laricio*
(syn. var. *calabrica,* var. *maritima, P. laricio*) Kalabrische Schwarzkiefer   [Klimazone 4]
Dies ist ein häufiger, großer Baum, der seines Holzes wegen geschätzt wird. Er eignet sich auch ganz besonders gut für Schutzgürtel in jedem Boden und an jedem Standort.

Pi. n. ssp. *nigra*
(syn. var. *austriaca*)
Österreichische Schwarzkiefer
          [Klimazone 4]
Gewöhnlicher im Aussehen als die vorige und ebenfalls häufig angepflanzt. In praktisch jedem Boden robust wachsend, sehr winterhart und dicht.

Pi. n. ssp. *pallasiana*
(syn. var. *caramanica)*
Krim- oder Taurische Kiefer
          [Klimazone 4]
Ein großer, in Kultur bis 30 m hoch werdender Baum, der auf dem Balkan beheimatet ist. Der Stamm teilt sich meist in mehrere Hauptäste, die eine breite Krone bilden.

Pi. n. 'Pygmaea'
Eine alpine Konifere, sehr dicht, rundlich oder niederliegend, mit bei alten Exemplaren wuschelig wirkenden Zweigenden.

Pi. n. ssp. *salzmannii*
(syn. var. *cebennensis*)
Pyrenäenkiefer   [Klimazone 4]
Hat eine geringere Endgröße als die Krimkiefer, lange, schmale Nadeln und hängende Zweige.

Pi. parviflora   **Mädchen-** oder **Kleinblütige Kiefer**
          [Klimazone 5]

In Japan ein großer Baum, in Kultur wesentlich kleiner. Wird besonders gern als Ausgangsmaterial zur Umgestaltung in einen Bonsai genommen. Junge Exemplare sind kegelförmig, im Alter werden sie offener und ihre Spitze wird abgeflachter. Die Nadeln stehen zu je fünf zusammen, sind blaugrün, unterseits heller. Diese brauchbare, dekorative Pflanze gedeiht am besten in feuchtem, saurem Boden.

Pi. p. 'Adcock's Dwarf'
Eine langsam wachsende, sehr kompakte Sorte, die in Hilliers Baumschule, Ampfield, Romsey, Hampshire, entstand. Sie wurde nach ihrem Züchter, Graham Adcock, benannt.

Pi. p. 'Glauca' Abb. 87
Seltene Variante mit auffallend blaugrauen Nadeln.

Pi. p. 'Tempelhof'
Eine aus Samen herangezogene Pflanze, die schneller wächst als der Typus und oft einen kräftigen Stamm entwickelt.

Pi. patula   [Klimazone 9]

Ein eleganter mexikanischer Baum, der eine Höhe von 20 m erreicht, aber nur in ganz mildem Klima in Frage kommt. Die Wuchsform ist breit ausladend, mit nach oben gerichteten Ästen. Die Nadeln sind sehr lang, stehen zu dritt, sind leuchtend grün und stehen in Büscheln an den hängenden Trieben.

Pi. peuce   **Rumelische Weymouthskiefer**   [Klimazone 4]

Eine winterharte, krankheitsresistente Art mit forstwirtschaftlichen Verwendungsmöglichkeiten. Die Wuchsform ist aufrecht, säulenförmig, die Nadeln stehen zu fünft zusammen, sind blaugrau, unterseits heller. Die Art, die aus dem Balkanraum stammt, variiert in der Natur in Abhängigkeit von der Höhenlage.

Pi. pinaster   **Strandkiefer**   [Klimazone 7]

Ein großer, aus dem Mittelmeerraum stammender Baum mit geradem Stamm, quirlständigen Ästen und paarigen Nadeln. Er entwickelt eine abgerundete Krone und gedeiht in leichten, sandigen Böden. Die großen Zapfen sind glänzend hellbraun und dienen manchmal als Schmuck, weil sie sich nicht öffnen, sobald sie reif sind, sondern noch jahrelang in den Ästen verbleiben. Die Art wird sehr viel im Gebiet von Landes im Südwesten Frankreichs angepflanzt, um den Sand zu befestigen. Ein ausgesprochener Küstenbaum. Außerdem sind die Bäume als Harzlieferanten wertvoll.

Pi. pinea **Pinie** [Klimazone 9]

Ein bekannter Baum aus dem Mittelmeergebiet, dessen male-
rische Wuchsform mit dem geraden Stamm und der kuppelför-
migen Krone einfach unverkennbar ist. Die Nadeln stehen zu
zweit und sind gedreht. Die Zapfen sind klein und bleiben für
drei oder mehr Jahre geschlossen.

Pi. ponderosa **Gold- bzw. Gelbkiefer** [Klimazone 5]

Ein kräftiger und sehr schöner Baum aus dem westlichen Nordamerika. Die jungen Pflanzen wachsen kegelförmig. Die älteren
sind variabel, besitzen einen kahlen Stamm und nur wenige
Zweige. Die langen Nadeln stehen zu dritt und sitzen dicht
büschelig an den Enden der kräftigen Zweige. Wächst in jedem
gut durchlässigen Boden schnell heran.

Pi. pumila **Kriechkiefer, Zwergkiefer** [Klimazone 3]

Eine variable Art, die in Japan und dem östlichen Asien in
rauhen Gebirgsgegenden vorkommt. Die Äste stehen gedrängt,
sind kurz und graubraun. Die Nadeln sind grün, innerseits blau-
weiß. Wird mitunter für eine geographische Rasse von *P. cembra*
gehalten, der sie in vieler Hinsicht gleicht, ist aber allgemein
kleiner (die Pflanzen werden selten mehr als 3 m hoch). Wird
gern als dekorativer Mittelpunkt in einem großen Steingarten
angepflanzt.

Pi. pu. 'Glauca'
Eine Selektion mit blaugrauen Na-
deln und dichtem, kompaktem
Wuchs.

Pi. radiata (syn. *P. insignis*) **Monterey-Kiefer**
[Klimazone 7]

Ein schöner, ornamentaler Baum mit weitausladender, kuppel-
artiger Krone, der bis zu 30 m hoch wird. Junge Bäume sind
pyramidenförmig. Die langen Äste hängen bis zum Erdboden
herunter. Die Nadeln stehen zu dritt beisammen, sind schmal
und leuchtend grün an grauen Trieben. Man schätzt sie an den
exponierten Meeresküsten, im Inland erleiden sie dagegen häufig

Frostschäden, da das Wachstum sehr frühzeitig im Jahr beginnt. In Neuseeland wachsen sie sehr schnell und haben bereits einen festen Platz in der Forstwirtschaft.

Pi. r. 'Aurea'
Eine auffallende, in Neuseeland herangezogene Form mit hellgoldgelben Nadeln.

Pi. strobus   Weymouthskiefer, Strobe   [Klimazone 3]

Ein großer Baum aus dem östlichen Nordamerika, der eine Höhe von 50 m oder mehr erreicht. Junge Bäume sind kegelförmig mit glatter, grauer Rinde, ältere entwickeln eine große, abgerundete Krone. Die Nadeln stehen zu fünft zusammen, sind dunkelblaugrün und ziemlich dünn. Zapfen sind harzig, schmal, zylindrisch. In Europa schon lange als Schmuck- und Forstbaum in Kultur, wo er als junge Pflanze in feuchtem Lehmboden sehr schnell heranwächst.

Pi. st. 'Nana'
Ein Sammelname für mehrere einander sehr ähnliche, kleinwüchsige Pflanzen. Nadeln kleiner als beim Typus, zusammengedrängt an dichten Trieben. Sehr geeignet für den größeren Steingarten oder als Kübelpflanze.

Pi. sylvestris   Gemeine Kiefer, Föhre   [Klimazone 2]

Diese allgemein bekannte Kiefer ist die häufigste Forstart, die über den größten Teil von Europa und in östlicher Richtung bis nach Sibirien hin verbreitet ist. Sie ist das einzige in Großbritannien heimische Mitglied der Familie. Es sind mehrere geographische Unterarten bekannt, von denen eine noch größer wird als *P. sylvestris* selbst. Junge Pflanzen wachsen pyramidenförmig und verlieren später die unteren Äste, wodurch der leuchtend orangerote Stamm sichtbar wird. Die paarigen Nadeln sind blaugrün, steif, gedreht. Eine ausgezeichnete Pflanze für trockene Böden und Gebiete mit geringer Niederschlagsmenge.

Pi. s. 'Argentea Compacta'
Abb. 92
Dieser Name wurde einem niedrig wachsenden Busch mit silbrigen Nadeln gegeben.

Pi. s. 'Aurea' Abb. 98
Neue Nadeln sind hellgelbgrün, werden im Sommer blaßgrün und dann sattgelb im Winter. Langsam wachsend, etwas schwächlicher

Wuchs aber eine sehr schöne Kontrastfarbe im winterlichen Heidegarten.

Pi. s. 'Beuvronensis'
Eine hervorragende, zwergige, kompakte Pflanze, die in Frankreich gegen Ende des 19. Jahrhunderts herangezogen wurde. Sie entwickelt sich zu einem rundlichen Busch mit dichten Zweigen und fühlt sich im Steingarten genauso wohl wie in einer Pflanzschale. Unser Exemplar ist nach 14 Jahren noch nicht einmal 0,5 m groß.

Pi. s. 'Doone Valley'
Auch ein Zwerg. Ziemlich kegelförmig im Umriß, mit deutlich bereiften Nadeln.

Pi. s. 'Fastigiata'
Dieser Klon bildet eine extrem schmale Säule mit steil aufsteigenden Ästen und normal graublauen Nadeln.

Pi. s. 'Globosa Viridis'
Ein kugliger Zwergstrauch mit dicht stehenden Ästen und kurzen Zweigen mit dicht stehenden, kurzen, steifen Nadeln.

Pi. s. 'Nana'
Ein dichter Zwerg, der manchmal mit 'Beuvronensis' verwechselt wird, aber oftmals eine geringere Endgröße hat.

Pi. s. 'Watereri'
(syn. 'Pumila') Abb. 97
Die junge Pflanze ist konisch, wird mit der Zeit rundlich. Sie ist keine Zwergform sondern eine langsam wachsende Pflanze und wäre als attraktiver Blickfang für den kleineren Garten geeignet.

Pi. wallichiana (syn. P. excelsa, P. griffithii) Tränenkiefer
[Klimazone 5]

Ein außerordentlich schmückender Baum. Mit variabler Endgröße, kann aber bis zu 40 m messen. Seine Heimat ist der Himalaja, wo er in Höhen bis zu 4 000 m vorkommt. Die langen, blaugrünen Nadeln stehen zu fünft, gewöhnlich in hängenden Büscheln. Die Zapfen sind lang, zylindrisch und harzig, zuerst aufrecht, später hängend. Obwohl winterhart, kann er durch Sturm Schäden erleiden, was man bedenken sollte, wenn man einen Standort für ihn wählt.

Pseudolarix   Goldlärche

Eine Gattung, die nur eine einzige, winterharte und laubabwerfende Art enthält. Abgesehen von der großen Ausdehnung des bodennahen Astsystems und einigen Einzelheiten in der Belaubung ähnelt diese außerordentlich schmückende, chinesische Lärche in ihrer allgemeinen Erscheinungsform den europäischen Lärchen. Im Garten wird sie in erster Linie wegen der sehr reizvollen Herbstlaubfärbung angepflanzt. Die grünen Nadeln verfärben sich zuerst reingelb und werden dann rostbraun, ehe sie abfallen. Die männlichen Blüten stehen in Büscheln an kleinen Kurztrieben, die weiblichen an gesonderten Zweigen des gleichen Baumes. Die kleinen, grünen Zapfen werden im Herbst reif und brechen noch am Baum auf. Der Boden sollte leicht und gut durchlässig sein. Wenn man ihnen genügend Platz gibt, wachsen sie zu prächtigen Exemplaren heran. Frostlöcher sollte man meiden, denn da das neue Wachstum im zeitigen Frühjahr beginnt, wird es dadurch manchmal vernichtet. Neue Pflanzen kann man aus Samen ziehen, die im Frühling im Freien in geschützter Lage auszusäen sind.

Ps. amabilis **Goldlärche**   [Klimazone 5]
Einzige Art aus Ostchina.

Pseudotsuga   Douglasie

Die Douglasien sind eine Gruppe immergrüner Bäume aus Nordamerika, China und Japan. Zwar enthält die Gruppe nur wenige Arten, doch hat eine von ihnen beachtlichen wirtschaftlichen Wert. Mit Ausnahme einiger ausgezeichneter aber sehr seltener Zwergformen werden diese Arten letzten Endes für viele Gärten zu groß. Sie können allerdings auf sehr vielen Bodenarten gedeihen (Kalk ausgenommen), wachsen enorm schnell und haben dichtes Laub. Deshalb kann man sie gut benutzen, wenn eine wirkungsvolle Schutzpflanzung schnell gebraucht wird. Das schmale Laub läßt an eine Verwandtschaft mit der Edeltanne denken. Es faßt sich weich an und duftet, wenn es zerdrückt wird. Die kleinen, hängenden Zapfen werden im ersten Jahr reif und fallen nach dem Ausfallen der Samen als Ganzes zu Boden. Neuanzucht kann aus Samen erfolgen, den man im Frühjahr im Freien aussät. Die Sämlinge werden gegen Ende des zweiten Jahres verpflanzt. Sorten können gepfropft werden.

223

Pst. menziesii   **Douglasie**   [Klimazone 6]

Ein wohlbekannter und bedeutender Forstbaum, der in seiner Heimat, dem westlichen Nordamerika, sowie in anderen Ländern als Holzlieferant angepflanzt und außerordentlich groß wird. Auf Grund seiner Wachstumsgeschwindigkeit ist einer seiner Hauptverwendungszwecke im Garten die Anpflanzung einer schnell heranwachsenden Schutzhecke. Zahlreiche Sorten sind registriert, doch entweder außerordentlich selten oder nicht vorrätig.

Pst. m. var. *caesia*
Eine Abart des Typus, die langsamer wächst und grau getönte Nadeln hat. Angeblich ist sie alkalischen Böden gegenüber toleranter.

Pst. m. 'Fletcheri' Abb. 99
Diese kostbare, verkleinerte Ausgabe des großen Baumes wurde 1906 unter einer größeren Menge von Sämlingen in einer Baumschule in Surrey, England, entdeckt. Sie wächst als buschiger Strauch mit unregelmäßigem Umriß. Die weichen, radial angeordneten, grünen Nadeln sind auf der Rückseite deutlich blau bereift.

Tsuga   Hemlockstanne

Die Hemlockstannen sind immergrüne Bäume mit aufrechten Stämmen (entweder einem oder mehreren) und meist elegant hängenden Ästen. Einige Arten wachsen in ihrer Heimat sehr schnell und liefern wertvolles Nutzholz. Wo genügend Raum vorhanden ist, werden die Tsugas auch als Gartenpflanzen sehr geschätzt, denn die Arten entwickeln sich zu reizvollen Bäumen oder eleganten Schutzpflanzungen. Unter den vielen Sorten von *T. canadensis* sind auch kleinwüchsige Formen verfügbar, die für den winzigsten Standort geschaffen sind. Wo sie gut gedeihen, da gibt es kaum prächtigere immergrüne Bäume als sie. Am besten gedeihen sie in tiefgründigem, feuchtem Lehmboden. Sie ziehen den sauren Boden dem alkalischen vor. Ihre linearen, glänzend grünen oder bereiften Nadeln mit silberner Unterseite stehen dicht beieinander. Sie sitzen zwar spiralig am Trieb, stehen aber so, als wären sie in zwei sich gegenüberstehenden Reihen angeordnet. Aber zum Unterschied von ähnlichen Blattstellungen, bei denen die Blattspitzen in gleicher Höhe liegen, sind sie bei *Tsuga* ungleichmäßig hoch, denn die einzelnen Nadeln sind nicht gleich lang. Nur *T. mertensiana* hat sitzende, in Gruppen zu mehreren stehende Zapfen. Bei den anderen sind die meist kleinen Zapfen hängend, reifen zwar im ersten Jahr, lassen die geflügelten Samen aber erst im zweiten herausfallen. Die Vermehrung der Arten kann in vorbereiteten Beeten im Frühjahr durch Aussaat der Samen im Freien erfolgen. Bei heiklen Sorten sollte es unter Glas im Winter geschehen. Stecklinge von ausgereiften Trieben werden in sandiger Erde im Herbst unter Kunstlicht bewurzelt. Alle Sorten sind durch Stecklinge oder Absenker zu vermehren.

Ts. canadensis Kanadische Hemlocks-, Schierlingstanne
[Klimazone 4]

Ein sehr großer, breit pyramidenförmiger Baum mit einem schlanken Stamm, der sich meist nahe der Basis gabelt. Vom gärtnerischen Standpunkt aus betrachtet, ist dieser Arttypus nicht im gleichen Maße reizvoll wie die sehr anmutige Verschiedenblättrige Hemlockstanne. Er bildete aber das Ausgangsmaterial für eine sehr große Anzahl von Gartenpflanzen, besonders in der Gruppe der Zwerge oder langsam wachsenden Formen. Viele von diesen sind nur in Nordamerika zu haben oder werden gelegentlich in anderen Ländern von Spezialgärtnereien angeboten.

Ts. c. 'Aurea'
Eine seltene, langsam wachsende Pflanze von kompakter, aufrechter Wuchsform. Die neuen Nadeln sind blaß goldgelb und werden im Laufe des Sommers gelbgrün.

Ts. c. 'Bennett' Abb. 106
Ein kompakter, dicht verzweigter Strauch, dessen horizontale Zweige sich fächerförmig auseinanderspreizen. Bildet mit der Zeit eine niedrige Kuppel. Eine in Amerika herangezogene Pflanze.

Ts. c. 'Cole'
Völlig niederliegend, mit langen, nach allen Seiten sich ausbreiten-

den Zweigen, auch die Seitentriebe hängen und die ganze Pflanze bildet eine dichte Matte. Kann, solange sie noch jung ist, durch Stammstützung zu einer niedrigen Hängepflanze geformt werden.

Ts. c. 'Jeddeloh' Abb. 107
Ein attraktiver Klon, der in Deutschland herangezogen wurde, und jetzt in vielen Ländern beliebt ist. Die blaßgrünen Nadeln sitzen auf schlanken Zweigen, die einen kompakten, niedrigen und sehr dichten, kleinen Busch bilden.

Ts. c. 'Minima'
Ein langsam wachsender, aber mit

der Zeit doch breit auseinander-
gehender, niedriger Busch mit dicht
stehenden, ziemlich steifen, abgeflachten, anmutig hängenden Seitenzweigen.

Ts. c. 'Pendula' Abb. 105
Diese Pflanze wächst kuppelförmig. Sie bleibt jahrelang niedrig.

Die ausgesprochen hängenden
Zweige sehen das ganze Jahr hin-
durch reizvoll aus, am meisten jedoch, wenn die Pflanze im Frühling in ihrem jungen Grün prangt.
Auf der Abbildung 105 ist ein al-
tes Exemplar im Steingarten von
Wisley zu sehen.

Ts. caroliniana   Karolinische Hemlockstanne
[Klimazone 5]

Ein Baum, der im Südosten der USA als Gebirgspflanze vorkommt, und bis 20 m groß wird. In Europa ist die Art im allgemeinen in der Kultur nur ein großer Busch. Als einzeln stehendes
Exemplar wirkt er attraktiv durch den dichten Wuchs sowie die
rötlichen oder grauen Jungtriebe, an denen zerstreut schmale,
dunkelgrüne, unterseits weiß gestreifte Nadeln stehen.

Ts. heterophylla   Verschiedenblättrige Hemlockstanne
[Klimazone 6]

Diese ist die größte der Hemlockstannen. Sie wächst zu einem
großen, pyramidenförmigen Baum heran. Der gerade Stamm hat
ausladende Äste. Die Zweige tragen dunkelgrüne Nadeln, die
unterseits zwei breite weiße Streifen haben. Mit ihren nickenden
Zweigenden und Haupttrieben entwickeln sie sich bei ausreichend
vorhandenem Raum und ihnen zusagendem Boden zu Bäumen,
deren Eleganz kaum zu übertreffen ist. Sie vertragen den
Schnitt und können somit als hohe Hecke Verwendung finden.
In der Forstwirtschaft pflanzt man sie gemischt mit laubabwerfenden Bäumen, weil sie besonders schattentolerant sind. Sie
haben jedoch eine Abneigung gegen kalkhaltigen Boden und entwickeln an einem derartigen Standort eine kränkliche Farbe.

Ts. mertensiana   Westamerikanische Hemlockstanne
[Klimazone 5]

Langsam wachsend und in der Jugend buschig. Mit fortschreiten-
dem Alter wird diese interessante Art aus den Gebirgen des

226

westlichen Nordamerika sehr groß, geradezu turmförmig. Die nach vorn gerichteten, radial angeordneten Nadeln sind oft silbrig oder bereift. Nach Sämlingen, die als Farbvarianten auftreten, sind Klone mit silbernen Nadeln (Abb. 103) 'Argentea' genannt worden und ein dicht und langsam wachsender, mit auffällig blau bereiften Nadeln 'Glauca'. Letzterer wird manchmal als gepfropfte Pflanze angeboten, wobei *T. canadensis* als Unterlage benutzt wird.

PODOCARPACEAE · Familie der Steineibengewächse

Dacrydium   Harzeibe

Eine Gruppe von etwa zwanzig immergrünen Koniferen aus Südostasien und anderen Ländern der Südpazifikregion. Die für die Gartenkultur am besten geeigneten Arten sind in ihrem natürlichen Vorkommen auf Neuseeland und Tasmanien beschränkt. Ganz gleich, ob sie nun Baumgröße haben oder winzige Pflanzen für das Alpinum sind, alle brauchen zu ihrem Gedeihen ein warmes Klima. Sie haben zweierlei Laub: Weiche, pfriemförmige Jugend- und harte, schuppenförmige Altersblätter, die meist gleichzeitig vorhanden sind. Die Pflanzen sind überwiegend diözisch, d. h. männliche und weibliche Blüten stehen auf getrennten Bäumen. Die nußähnlichen Samen sitzen einzeln in einem fleischigen (eßbaren) Becher. Vermehrung kann durch Samen erfolgen. In der Praxis werden allerdings die noch kleinen, jungen Pflanzen in der Natur gesammelt und in Containern weitergezogen, bis sie groß genug sind, ausgepflanzt zu werden. Die Gebirgsarten lassen sich durch Stecklinge oder Absenker vermehren.

D. cupressinum   Abb. 110   [Klimazone 9]

Wild wachsende Bäume werden sehr hoch. Außerhalb ihres natürlichen Standorts wächst die Pflanze jedoch langsam und ergibt einen prächtigen Gartenschmuck. Die halbhängenden Zweige mit dem zypressenähnlichen Laub bekommen bei kaltem Wetter oft einen rötlichen Farbton. Dieser Baum war früher der wichtigste Nutzholzbaum Neuseelands, wird jetzt aber rar, weil die Bestände stark reduziert wurden.

D. franklinii [Klimazone 9]

In seiner Heimat Tasmanien ist diese immergrüne Art ein großer, pyramidenförmiger Baum, in anderen Ländern entwickelt sie sich in Kultur nur zu einem großen Busch. Die Pflanze hat dünne, anmutige Trauerzweige mit leuchtend grünen, schuppenförmigen Blättern.

D. laxifolium [Klimazone 7]

Eine niederliegende, teppichbildende Art, deren lange, dünne Zweige winzige Altersblätter tragen, die meist grün oder blau sind und sich im Winter zu einem satten Purpur verfärben.

Phyllocladus Blatteibe

Diese interessante Koniferengruppe hat sehr ungewöhnlich aussehendes Laub. Fast alle hierher gehörenden Arten sind in Neuseeland und Tasmanien beheimatet und nur eine von ihnen, *P. alpinus,* kann für ausreichend winterhart gehalten werden, um in Großbritannien im Freien gedeihen zu können. Die Pflanzen dieser Gattung haben ein völlig anderes Aussehen als alle anderen Koniferen, was davon herrührt, daß die Blätter im adulten Belaubungsstadium durch Kladodien ersetzt werden, das sind abgeflachte, wie Blätter aussehende Zweigenden, die sowohl als Stengel als auch als Blatt fungieren. Die eigentlichen oder ursprünglichen Blätter sind winzig und schuppenförmig. Die Blüten beider Geschlechter können je nach Art entweder gemeinsam auf einem Baum oder auch getrennt stehen. Nach der Befruchtung erscheinen die winzigen, nußähnlichen Samen in Büscheln an der Basis der sprossenden Triebe. Man benötigt tiefgründigen, fruchtbaren Boden, um gute Exemplare zu erzielen und natürlich ein mildes Klima. Vermehrung erfolgt durch Samen oder Stecklinge im Herbst unter Glas. Letztere bewurzeln sich oft besser im Frühling.

Ph. alpinus [Klimazone 7]

Eine eigenartig strauchige Pflanze mit unregelmäßiger Umrißform und flachen, grünen „Blättern". Im Frühling ist die Pflanze betupft mit winzigen, roten männlichen Blüten. Fürs Kalthaus
geeignet.

Ph. trichomanoides [Klimazone 9]

Ein Baum, der in seiner neuseeländischen Heimat bis 23 m groß
wird. Die flachen, in Kladodien umgebildeten Zweigenden erinnern in der Form an dicke, grüne Sellerieblätter.

Podocarpus   Steineibe

Eine umfangreiche Gattung von größtenteils immergrünen Sträuchern und Bäumen, die sich bei uns fast alle nur fürs Kalthaus
eignen. Die wenigen in England winterharten Arten sind in
ihrem äußeren Erscheinungsbild sehr unterschiedlich. Manche
wachsen langsam und eignen sich für kleinere Gärten, andere,
die zwar in ihrer Heimat mit der Zeit zu großen Waldbäumen
heranwachsen, sind doch, solange sie jung sind, schmückende
Gartenpflanzen und wenigstens eine Art ergibt eine gute, dichte
Hecke. Das Laub ist dick, oft hart und mit scharfen Spitzen
versehen, an den Trieben spiralig angeordnet. Blüten sitzen normalerweise an getrennten Pflanzen. Die zur Reifezeit lebhaft
gefärbten Früchte erhöhen den Schmuckwert der Pflanze. Sie
enthalten nur einen einzelnen harten Samen, der am Ende eines
farbigen, fleischigen Stengels eingebettet ist. Die Podocarpus-Ar-
ten gedeihen in fast allen Bodenarten, einschließlich Kalk oder
Kreide. Die Vermehrung kann im Spätsommer durchgeführt
werden. Man nimmt Stecklinge vom ausgereiften Holz, wobei
die Bewurzelung unter Glas erfolgen sollte.

Po. acutifolius Abb. 113 [Klimazone 7]

Wird in Gärten allgemein wie ein Busch behandelt, ist in seiner
Heimat Neuseeland jedoch ein kleiner Baum von 10 m Höhe
oder mehr. Die olivgrünen, stacheligen Nadeln legen den Gedan-

ken nahe, die Pflanze sowohl in ihrer Heimat wie auch in Groß-
britannien als Heckenpflanze zu verwenden. Im letztgenannten
Land wird sie allgemein jedoch als Steingartenpflanze gebraucht.
Bei uns hält sie sich nur im Kalthaus.

Po. alpinus [Klimazone 7]

Ein dichter, niedriger Busch, der dicht mit dunkelgrünen, eibenähnlichen Nadeln besetzt ist. Eine reizvolle Steingartenpflanze
aus Australien, wo es klimatisch im Winter milder ist als bei uns.

Po. andinus [Klimazone 7]

Diese Art aus den chilenischen Anden sieht man meist als viel-
stämmigen, großen Busch. Die Pflanze hat weiche, dunkelgrüne
Nadeln, die manchmal gedreht sind, wodurch die zwei blassen
Ränder an der Unterseite sichtbar werden. Manchmal sind auch
die schwarzen, ovalen Früchte zu sehen.

Po. dacrydioides [Klimazone 9]

Ein anmutiger Baum, der eine Höhe bis zu 50 m erreicht. Bei
einem erwachsenen Baum ist der Stamm meist bis annähernd zur
halben Höhe frei von Ästen. Die langen, hängenden Äste tragen
kurze, bronzegrüne Nadeln, die spiralig an den Trieben stehen.
Die Pflanze blüht im Frühling. Die später sich entwickelnden
jungen Samen sind leuchtend blau und sitzen in einem roten
Arillus.

Po. ferrugineus [Klimazone 9]

Ein großer Baum aus Neuseeland. Der Stamm hat graubraune
Rinde. Die blaßgrünen, eibenähnlichen Nadeln stehen unregelmäßig in zwei gegenüberliegenden Reihen an den Zweigen. Die
bereiften roten Früchte (Steinfrüchte) erscheinen im Winter.

Po. nivalis [Klimazone 6]

Eine niedrige, buschförmige Art aus Neuseeland mit dicht stehenden Zweigen, die mit kleinen, ledrigen, blaßgrünen Nadeln bedeckt sind. Für mildes Klima geeignet.

Po. salignus [Klimazone 7]

Große Büsche mit offenen Zweigen oder kleine Bäume. Die Blätter sind lang, dunkelgrün (mit heller Unterseite) und weidenähnlich. Aus Chile stammend, kann man sie in milden Gegenden des südlichen Großbritanniens manchmal als Freilandpflanze sehen. Sie bildet dort einen kegelförmigen Busch.

Po. spicatus [Klimazone 8]

Eine große, bei uns aber nicht winterharte Art aus Neuseeland, die mit ihren schlanken Zweigen recht zart wirkt. Sie hat kleine grünlichbronzefarbene Blättchen.

Po. totara [Klimazone 8]

Ein weiterer großer Baum aus Neuseeland, der in seiner Heimat „Nutzholzgröße" erreicht. Da das Holz haltbar ist, findet es in der Bauindustrie vielseitige Verwendung, ebenso wird es für Zäune gebraucht. Ein junger Baum gereicht durchaus Gärten zum Schmuck. Die Nadeln sind klein, gelbgrün und ziemlich stechend. Bei uns nicht fürs Freiland geeignet.

Po. t. 'Aurea' Abb. 114
Eine erlesene Sorte mit goldenem Laub. Wächst in den ersten Jahren nur langsam. Wer Geduld hat, zu warten, erhält jedoch eine sehr eindrucksvolle Pflanze.

TAXODIACEAE · Familie der Sumpfzypressen

Athrotaxis Schuppenfichte

Diese Gattung ist zwar klein aber interessant. Die Pflanzen sind immergrün, haben hängende Äste und stammen aus Tasmanien. In ihrer Heimat werden sie recht groß. In kühlerem Klima ist das Wachstum sehr verlangsamt, man kann sie dort zu den größeren Sträuchern zählen. Die Blätter sind klein, pfriemförmig, überlappend, stengelumfassend. Die Zapfen entsprechen in ihrem Bau denen der Sumpfzypresse, einer nahen Verwandten. Sie sind

231

bedornt und haben viele, sich überlappende Schuppen. Die am schönsten entwickelten Pflanzen trifft man in feuchtem, saurem Boden an. Neue Pflanzen können aus Samen gezogen werden, aber da dieser meist sehr schwer zu bekommen ist, sind die meisten im Handel angebotenen Pflanzen aus Stecklingen gezogen. Diese steckt man im Spätsommer im Gewächshaus in sandige Erdmischung. Veredelung ist auch möglich, man nimmt *Cryptomeria* als Unterlage. Dies sollte unter Glas während des Frühjahrs geschehen. Bei uns ist Überwinterung im Kalthaus erforderlich.

At. cupressoides [Klimazone 8]

Wild wachsend ein anmutiger kleiner Baum, in kühlerem Klima mehr strauchartig wachsend. Erinnert in seiner Gestalt an eine schnurförmige Strauchveronika. Die Zweige sind mit kleinen, dunkelgrünen, eng angepreßten Blättern besetzt.

At. laxifolia [Klimazone 7]

Wie seine obige nahe Verwandte ist diese Art in den milden Gegenden des südlichen Großbritanniens und Irlands angemessen hart. Sie unterscheidet sich von der obigen durch eine größere Endhöhe und größere, lockerer stehende Blätter mit scharfer Spitze.

At. selaginoides [Klimazone 9]

Empfindlicher als die beiden vorher erwähnten Arten. Diese hat große, ledrige, cryptomeriaähnliche Blätter, die an kräftigen Zweigen sitzen. Eine sehr ähnliche Pflanze gehörte einst in prähistorischer Zeit zu der einheimischen Flora von Südostengland.

Cryptomeria Sicheltanne

Diese Gattung besteht aus einer einzigen, sehr charakteristischen Art. Der Baum stammt aus Japan und China, wird aber in Großbritannien schon seit langem angepflanzt, weil er ein wertvoller Holzlieferant ist. In tiefgründigem, nährstoffreichem, gut durchfeuchtetem Boden können besonders große Exemplare mehr als 50 m hoch werden. Wenn der Arttypus in Mitteleuropa angepflanzt wird, erreicht er oft noch nicht die Hälfte dieser Höhe und man sieht daher häufig kleine Bäume und große Büsche. Wenn man einen Standplatz für sie aussucht, sollte nicht vergessen werden, daß ihnen ein vor kalten Winden geschützter Ort am besten zusagen wird. Wie bei den meisten anderen immergrünen Koniferen ist auch bei ihnen der Unterschied zwischen Jugend- und Alterslaub beträchtlich. Das erstere ist offen, pfriemförmig und fühlt sich bei Berührung weich an. Dieser Blattyp ist bei einigen Sorten erhalten geblieben. Andere haben eine Mischung von diesem und den kleineren, harten Altersblättern. Nur wenige haben ausschließlich Altersblätter. Die Farbe des Laubes variiert vom typischen Hellgrün der Sommermonate zum rötlichbronzefarbenen oder stumpfen Braun im Herbst und Winter. Die Blüten beiderlei Geschlechts befinden sich auf dem gleichen Baum, die männlichen in endständigen Ähren gehäuft, die weiblichen an besonderen Zweigen. Die runden Zapfen sind zuerst grün und werden bei der Reifung braun. Der Typus kann aus Samen gezogen werden. Alle anderen Formen sind Sorten und müssen als solche durch Stecklinge vermehrt werden. Wenn man sie während des Sommers unter Glas in leichte Mischerde einsteckt, bewurzeln sie sich recht schnell.

Cr. japonica Japanische Sicheltanne Abb. 115 [Klimazone 5]

Einzige Art, in Japan und China beheimatet, die im Westen durch die hier kultivierte var. *sinensis* vertreten wird.

Cr. j. 'Bandai-sugi' Abb. 118
Ein entzückender, sehr dicht abgerundet wachsender Zwerg. Der Strauch besteht aus steifen, unregelmäßigen Trieben mit zusammengedrängten, grünen Nadeln, die im Winter rötlich werden.

Cr. j. 'Compressa' Abb. 116
Ein runder, kleiner Busch aus dikken Zweigen, die winzige, dicht stehende, juvenile Nadeln tragen. Im Sommer tiefgrün, im Winter rötlichbraun.

Cr. j. 'Cristata' Abb. 111
Großer, ziemlich offener Busch, der sich aus dicken, aufsteigenden Ästen zusammensetzt, von denen bei einigen die Spitzen abgeflacht

verbändert sind und großes, hahnenkammförmiges Wachstum zeigen.

Cr. j. 'Elegans'

Eine beliebte, sehr attraktive Form mit erhalten gebliebenem Jugendlaub. Die weichen, wogenden Massen grüner Nadeln wechseln mit fortschreitender Jahreszeit ihre Farbe, die zunächst rot und dann während des kalten Winters bronzefarbig wird. Wächst aufrecht und wird mit der Zeit ein kleiner Baum.

Cr. j. 'Elegans Aurea'

Anordnung der Belaubung wie zuvor. Die neuen Triebe sind jedoch gelb, die Nadeln gelbgrün und die Rückseite wirkt bereift. Diese Sorte ist kleiner als 'Elegans'. Die Färbung wird das ganze Jahr über beibehalten.

Cr. j. 'Elegans Compacta'

Variabel und im allgemeinen gedrungener als die anderen dieses Typs. Obwohl der Name vielleicht an einen Zwerg denken läßt, ist dies selten der Fall, denn die Pflanze entwickelt sich zu einem breiten, unordentlich wirkenden Busch. Die einzelnen Blätter sind weich, nadelförmig. 'Plumosa' ist eine der 'Elegans' sehr ähnliche Form, die in Neuseeland angeboten wird und noch leuchtendere grüne Nadeln besitzt.

Cr. j. 'Globosa' Abb. 117

Rundlicher, sehr dichter Busch mit hängenden Trieben und leuchtend grünen Nadeln. 'Bandai-sugi' (Abb. 118) ist viel gedrungener mit seinen dicht stehenden Nadeln und sehr kurzen Trieben. Eine der auserlesensten aller Steingartenkoniferen.

Cr. j. 'Jindai-sugi'

Eine ebenfalls dichte und langsam wachsende, aus Japan stammende Form. Die Pflanze hat sowohl aufrechte als auch nach den Seiten gerichtete Zweige und bildet einen unregelmäßig geformten, oben abgeflachten Busch aus leuchtend grünen Nadeln.

Cr. j. 'Lobbii'

Großer, aufrechter, säulenförmiger Baum mit kurzen Ästen und langen Zweigen, die häufig krause Bündel bilden. Die Stellung der Blätter ist typisch, denn die kleinen, leuchtend grünen Nadelblätter stehen mit nach vorn gerichteten Spitzen an den Trieben.

Cr. j. 'Monstrosa'

Ein pyramidenförmiger Busch mit unregelmäßig angeordneten Ästen und vielen, in Büscheln zusammenstehenden Zweigen, von denen ein Teil an den Spitzen durch das dicht gedrängt stehende Laub verdickt wirkt.

Cr. j. 'Nana' ('Elegans Nana', 'Lobbii Nana')

Gedrungener, rundlicher Busch aus schlanken, an den Spitzen hängenden Zweigen. Die hellgrünen Nadeln haben verschiedene Länge. Lang sind sie an den Hauptästen und winzig an den Spitzentrieben, die im Winter dicht mit den Büscheln der männlichen Blüten bedeckt sind.

Cr. j. 'Sekkan-sugi' Abb. 112
Eine Neuerscheinung mit hellcremegoldenem Laub. Sie scheint schnellwüchsig und unregelmäßig buschförmig zu sein.

Cr. j. 'Spiralis'
Unverkennbar, mit ziemlich dikken, leuchtend grünen Nadeln, die die dünnen Zweige spiralig umgeben. Die typische Pflanze sieht man als ungleichmäßig gewachsenen, rundlichen Busch. Es sind aber auch alte große Bäume bekannt, bei denen es sich möglicherweise um sehr frühzeitig vorgenommene Veredlungen auf sehr kräftig wachsender Unterlage handeln kann.

Cr. j. 'Spiraliter Falcata'
Zeigt eine ähnliche Belaubungsform wie 'Spiralis', doch sind die grünen, kleineren Nadeln ungleich lang und sitzen an langen, gedrehten Zweigen. Großer, offener Busch.

Cr. j. 'Vilmoriniana'
Diese Sorte könnte allenfalls mit 'Compressa' verwechselt werden. Sie wächst zu einer Kugel aus dichtstehenden Zweigen heran, an denen winzige, zurückgebogene, hellgrüne Nadeln stehen, die im Winter bräunlich werden.

Cr. j. 'Viminalis'
Diese Sorte hat sehr lange, peitschenschnurförmige Zweige und entwickelt sich zu einem offenen, oft wuchernden Busch, bei dem viele Zweige in endständigen Bündeln angeordnet sind.

Metasequoia   Urweltmammutbaum

Zu dieser Gattung gehört nur eine einzige Art, die erst 1941 in der Hupeh Provinz in China entdeckt wurde. Ein paar Jahre danach wurden aus eingesammelten Samen gezogene Exemplare eingeführt. Genau wie beim Ginkgo waren die Pflanzen als Versteinerungen bekannt, ehe die lebenden Pflanzen entdeckt wurden. Sie galten als vor langer Zeit ausgestorben. Sie sind laubabwerfend und sehen im Wuchs der Sumpfzypresse ähnlich. Sie haben ebenfalls für Wasser eine Vorliebe und die besten Exemplare trifft man dort an, wo der Boden auch während der warmen Jahreszeit feucht ist. Der Stamm, der bei alten Bäumen tiefe Risse bekommt, hat rotbraune Rinde. Die Äste sind nach oben gerichtet und geben dem Baum eine pyramidenförmige Gestalt.

Das Laub ist frischgrün und verfärbt sich rostrot, bevor es im Herbst abgeworfen wird. Die Zapfen stehen an den Enden belaubter Stengel und reifen im ersten Jahr. Vermehrung kann sowohl aus Samen als auch durch Stecklinge erfolgen und zwar im Spätsommer in sandiger Erde unter Glas.

M. glyptostroboides   **Chinesisches Rotholz**   [Klimazone 5]

Einzige Art aus China; letztendlich bis 30 m hoch. Ein interessanter, schnellwüchsiger Baum, der sich besonders als Solitärstück eignet. In günstigen Lagen mit genügender Feuchtigkeit beträgt der jährliche Höhenzuwachs bis zu einem Meter.

Sciadopitys   Schirmtanne

Diese Gattung enthält einen einzigen und zugleich einzigartigen Baum, der noch dazu für den Garten von Interesse ist. Es handelt sich um eine sehr seltene Art aus Mitteljapan, wo ihr Vorkommen auf zwei kleine Gebiete beschränkt ist. Sie wird aber auch in den Parkanlagen und Gärten dieses Landes häufig angepflanzt. Alte Exemplare wachsen zu sehr großen, aufrechten und meist nur mit einem Stamm versehenen Bäumen heran. Da sie aber sehr langsam wachsen, kann man sie trotz ihrer stattlichen Endgröße auch in kleinen Gärten anpflanzen. Die Belaubung setzt sich aus zwei ganz verschiedenen Blattypen zusammen. Die echten Blätter sind klein, gelblichgrün und schuppenartig und erscheinen mit dem jungen Wachstum. Die auffälligeren „falschen" Blätter sind Kladodien, von denen jedes aus zwei nadelförmigen Blättern besteht, die mit den Kanten zusammengewachsen sind und als eine Nadel erscheinen. Sie stehen quirlig und sind bei gesunden Exemplaren glänzend tiefgrün mit einem gelben Streifen auf der Unterseite. Die quirlig stehenden Büschel der Kladodien erinnern auffallend an die Rippen eines umgeklappten Regenschirms, was ihr den Namen Schirmtanne einbrachte. Die gelben, männlichen Blüten stehen in kleinen, endständigen Büscheln, die weiblichen Blüten sitzen am gleichen Baum und entwickeln sich zu hübschen, fast runden Zapfen, die während ihrer Reifung im zweiten Jahr braun werden. In Töpfen unter Glas kann man neue Pflanzen aus Samen heranziehen. Auch junge Pflanzen sollten zumindest während ihres ersten Winters geschützt, d. h. unter Glas herangezogen werden.

Sc. verticillata **Japanische Schirmtanne** [Klimazone 5]
Die Formen dieser einzigen Art gedeihen an geschützten Standorten und lieben kalkarmen, feuchten Boden. Abb. 102

Sequoia Mammutbaum, Redwood

Eindrucksvolle, immergrüne Bäume, deren Heimat an der Küste des Pazifischen Ozeans der USA liegt. Die Gattung enthält nur eine einzige Art, deren Vertreter zu den höchsten Bäumen auf der Welt zählen. Die Wuchsform der *Sequoia* ist schmal pyramidenförmig. Die Äste stehen in Quirlen, die unteren bleiben bei älteren Bäumen nur erhalten, wenn sie freistehend wachsen. Sogar bei diesen sind die bodennahen Teile der Pflanze frei von Ästen, meist aber entspringen dichte Zweigbüschel dem Stamm direkt. Unter natürlichen Bedingungen entwickeln sie im Wald wachsend einen hohen, aufrechten Stamm mit dicker, rötlicher Borke und ein großer Teil ihres Stammes ist frei von Ästen. Die dunkelgrünen Nadeln sind linear, haben scharf abgesetzte Spitzen und erinnern an die Eibe. Sie stehen zweireihig an den Seitenzweigen, an den Haupttrieben sind sie kleiner, radial angeordnet und liegen dem Zweig an. Schäden durch Frost und Kälte scheinen das Wachstum nicht einzuschränken, sehen aber unschön aus, was man bei der Standortwahl für die prächtigen, im folgenden erwähnten Sorten bedenken sollte. Die Blüten beiderlei Geschlechts befinden sich auf dem gleichen Baum. Die weiblichen bilden kleine rundliche Zapfen, die zwei Wachstumsperioden zur Reifung brauchen und mehrere Jahre auf dem Baum verbleiben. Neue Pflanzen können aus Samen gezogen werden. Sorten sind durch Stecklinge oder Absenker zu vermehren. Während ihres ersten Winters muß man junge Pflanzen vor Kälte schützen. Bei uns nur in wärmsten Lagen fürs Freie geeignet.

S. sempervirens [Klimazone 7]

Einzige Art aus Kalifornien und Oregon.

S. s. 'Adpressa' Abb. 109

Ein wunderhübscher Zwergstrauch mit grauen Nadeln und creme-weißen Spitzen an den neuen Trieben. Wenn man die Pflanze sich selbst überläßt und nicht allen aufrechten Neuzuwachs entfernt, wird sie unweigerlich einen Hauptstamm bilden und zu einem großen Baum heranwachsen. Wenn einzelne Exemplare für ihren Standort zu groß geworden sein sollten, kann man sie getrost zurückschneiden. Der Stamm wird neu ausschlagen.

S. s. 'Prostrata' Abb. 108

Eine attraktive Form, deren graue Nadeln doppelt so groß sind wie beim Typus. Manchmal völlig niederliegend. Sie kann aber auch mit Unterstützung eine Kuppelform bilden, wenn man die Astenden entsprechend herrichtet. Gelegentlich bildet die Pflanze auch einen starken Haupttrieb und kann zu einem kleinen Baum heranwachsen.

Sequoiadendron   Riesenmammutbaum

Riesenbäume, die mit *Sequoia* verwandt sind und sich von diesen hauptsächlich durch ihre schuppenförmigen Blätter unterscheiden. Sie erreichen nicht die enorme Höhe des Mammutbaumes oder der großen Douglasie, aber ihre Stämme haben einen mächtigen Durchmesser und die Bäume werden sehr alt. Von einigen der in Großbritannien wachsenden Exemplare, die in Parkanlagen oder großen Gärten angepflanzt wurden, vielleicht auch in einer Allee, die zu einem großen Herrenhaus führte, stammen die Sämlinge ursprünglich aus der Baumschule Veitch und Exeter. Diese Sämlinge wurden aus Samen gezogen, die ihr Sammler Lobb 1853 beschaffte. Die einzelnen Blätter sind winzig, sie stehen sehr dicht auf den schlanken Trieben, die in großen Büscheln von den Seitenzweigen herunterhängen. Die rotbraune Rinde ist ein Merkmal dieser Bäume in jeder Altersstufe. Sie wird mit der Zeit extrem dick und — das wissen kleine Buben — man kann mit der Faust dagegenschlagen, ohne daß es weh tut. Die Zapfen sind größer als bei *Sequoia* und reifen im zweiten Jahr. Die daraus stammenden Samen können zur Vermehrung genommen werden. Sorten vermehrt man durch Stecklinge vom Holz des laufenden Jahres. Für Pfropfungen gilt das gleiche.

Se. giganteum **Wellingtonia** [Klimazone 6]
(syn. *Wellingtonia gigantea*)
Einzige Art aus Kalifornien.

Se. g. 'Pendulum'
Ein Exemplar dieser seltenen und einmaligen Konifere kann lange, hängende Äste haben, die noch zusätzlich von der reichen Belaubung heruntergezogen werden. Ein anderes kann aber auch zu einem kleinen Baum mit kurzen, aufrechten, dicht am Stamm stehenden Ästen und hängenden Zweigen mit dunkelgrünen Blättern heranwachsen.

Se. g. 'Pygmaeum'
Gedrungener, dichter Busch von dreieckigem Umriß, dessen Blätter stärker bereift sind als beim Typus. Die Pflanze ist zwar eine kleinere Ausgabe des Riesenbaumes, aber einen Zwerg kann man sie deshalb wohl kaum nennen.

Taxodium   Sumpfzypresse

Winterharte, große, laubabwerfende Bäume mit attraktiver Belaubung, die aus den USA und Mexiko stammen. Von sehr trockenen Böden abgesehen (die man besser vermeiden sollte), gedeihen sie an den meisten Standorten, einschließlich so nasser Stellen wie Teichrändern. Der Laubaustrieb erfolgt in unserem Klima sehr spät im Jahr — sie gehören zu den letzten überhaupt. Die Nadeln sehen zart und federig aus. Sie sind zuerst blaßgrün. Zwei Arten von Trieben sind vorhanden: Haupttriebe, die erhalten bleiben, an denen die Nadeln spiralig stehen, und Seitentriebe, an denen die Nadeln zweireihig gegenständig angeordnet sind, die abgeworfen werden, wenn das dann rostrote Laub im Herbst abfällt. Die runden Zapfen stehen an kurzen Stielen und reifen im ersten Jahr. Samen sollte im Frühling unter Glas ausgesät werden. Stecklinge, die man von ausgereiftem Holz in feuchtem Boden im Herbst unter einer Glasscheibe einsetzt, werden sich wahrscheinlich bis zum Frühling bewurzelt haben. Man sollte sie jedoch lieber ein weiteres Jahr ungestört lassen, ehe man sie in ein Anzuchtbeet pflanzt.

Ta. ascendens **Teichzypresse** [Klimazone 5]

Dieser große, pyramidenförmige Baum aus dem Südosten der USA trägt ausladende Äste mit kleinen, aufrechten Zweigen, an denen hellgrüne, dicht anliegende Nadeln sitzen.

Ta. a. 'Nutans'

Eine schmal säulenförmige Sorte mit kurzen, steil aufsteigenden Ästen und zuerst aufrechten, dann nickenden Zweigen, die dicht stehende, pfriemförmige, einwärtsgekrümmte Blätter tragen.

Ta. distichum **Zweizeilige Sumpfzypresse** [Klimazone 4]

Kommt an nassen Standorten in vielen Teilen des Südens der USA vor und gedeiht in Kultur an entsprechenden Standorten. Langsam wachsend, aber mit der Zeit recht groß werdend, ist die Pflanze in allen Stadien ihres Wachstums ein Schmuck für den Garten.

SYSTEMATISCHE ÜBERSICHT
über die Ordnungen, Familien und Gattungen
der Koniferen

Ginkgoales
Ginkgoaceae · Familie der Ginkgobäume

Ginkgo

Taxales
Taxaceae · Familie der Eibengewächse

Amenotaxus*	Pseudotaxus*
Austrotaxus*	Taxus
Cephalotaxus	Torreya

Coniferales
Araucariaceae · Familie der Schmucktannen

Agathis	Araucaria

Cupressaceae · Familie der Cypressengewächse

Actinostrobus*	Juniperus
Austrocedrus	Libocedrus*
Callitris	Microbiota*
Calocedrus	Neocallitropis*
Chamaecyparis	Papuacedrus*
×Cupressocyparis	Pilgerodendron*
Cupressus	Tetraclinis*
Diselma*	Thuja
Fitzroya*	Thujopsis
Fokienia*	Widdringtonia*

Pinaceae · Familie der Kieferngewächse

Abies	Picea
Cathaya*	Pinus
Cedrus	Pseudolarix
Keteleeria*	Pseudotsuga
Larix	Tsuga

241

Podocarpaceae · Familie der Steineibengewächse

Acmopyle*	Phyllocladus
Dacrydium	Podocarpus
Microcachrys*	Saxgothaea*
Microstrobus*	

Taxodiaceae · Familie der Sumpfzypressen

Athrotaxis	Sciadopitys
Cryptomeria	Sequoia
Cunninghamia*	Sequoiadendron
Glyptostrobus*	Taiwania*
Metasequoia	Taxodium

Die mit einem * versehenen Gattungen sind im Text nicht beschrieben worden.

LITERATUR

Bean, W. J., Trees and Shrubs hardy in the British Isles.
7. Auflage, John Murray, London, 1951.

Bloom, A., Koniferen, Zierde unserer Gärten.
Verlag W. F. P. Fehling GmbH, Hannover, 1972.

Dahl, M. und Thygesen, T. B., Garden Pests and Diseases of Flowers and Shrubs.
Blandford Press, London, 1974.

Eiselt, M. G. und Schröder, R., Nadelgehölze.
Neumann Verlag, Leipzig-Radebeul, und
Verlag J. Neumann-Neudamm, Melsungen, 1974.

Harrison, C. R., Ornamental Conifers.
Reed, Wellington, 1975.

Hillier, H. G., Hilliers' Manual of Trees and Shrubs. Überarb.
Auflage von David and Charles, Newton Abbott, 1975.

Kiaer, E. and Huxley, A., Garden Planning and Planting.
Blandford Press, Poole, 1976.

Krüssmann, G., Handbuch der Nadelgehölze.
Verlag P. Parey, Hamburg, Berlin, 1972.

Mitchell, A. Trees of Britain and Northern Europe.
Collins, London, 1974.

den Ouden, P. & Boom, B. K., Manual of Cultivated Conifers,
Martinus Nijhoff, Den Haag, 1965.

Salmon, J. T., New Zealand Flowers and Plants in Colour.
4. Auflage, Reed, Wellington, 1974.

Welch, H. J., Dwarf Conifers.
2. Auflage, Faber and Faber, London, 1968.

DANKSAGUNG

Den Besitzern der folgenden Arboreten, Gärten und Baumschulen, die uns liebenswürdigerweise gestatteten, in ihren Anlagen Aufnahmen für unsere farbigen Abbildungen zu machen, sprechen wir an dieser Stelle unseren Dank aus.

Arboreten und Gärten:
Arboretum Kalmthout, Belgien (M. R. de Belder); Botanischer Garten, Gisborne, Neuseeland; Proefstation voor de Boomkwekerij, Boskoop, Holland (der Direktor); Garten in Privatbesitz, Moore Street, Leamington, Cambridge, Neuseeland (Mr. und Mrs. Bellingham); Great Comp, Borough Green, Sevenoaks, Kent (Mr. und Mrs. Cameron); Savill und Valley Gardens, The Great Park, Windsor, Berkshire (The Crown Estate Commissioners); Von Gimborn Arboretum, Doorn, Holland, (Universität von Utrecht); Wisley Garden, Ripley, Surrey, (The Royal Horticultural Society).

Baumschulen
Bridgemere Nursery, Woore, Cheshire (Mr. John Ravenscroft); Firma Duncan and Davies, New Plymouth, Neuseeland; Firma Hillier and Sons, Jermyns Gardens and Arboretum, Romsey, Hampshire; Firma Ingwersen, Birch Farm Nursery, Gravetye, bei East Grinstead, Sussex; Mr. George Osmond, Archfield Nursery, Wickwar, Gloucestershire; Firma Robinsons, Knockholt, Kent, (wie auch der im Privatbesitz befindliche Garten von Mrs. Robinson); The Wansdyke Nursery and Pygmy Pinetum, Hillworth Road, Devizes, Wiltshire.

Zu besonderem Dank sind wir noch Mr. H. G. Welch aus Devizes verpflichtet, der uns in Nomenklaturfragen beriet. In Mr. Welchs Pygmy Pinetum befindet sich gegenwärtig eine der bedeutendsten Sammlungen von Zwerg- und langsam wachsenden Koniferen der Welt. Sie sind in sehenswerten Steingärten und anderen Anlagen gepflanzt, wo die Besucher unter den Hunderten von in Kultur befindlichen Pflanzen Vergleiche anstellen und auswählen können

Der Verlag J. Neumann-Neudamm dankt Frau Prof. Dr. Eva Potztal, Berlin, für wertvolle fachliche Hinweise.

REGISTER DER LATEINISCHEN PFLANZENNAMEN

Die gewöhnlichen Ziffern verweisen auf Seiten im Textteil. Die Ziffern im Fettdruck beziehen sich auf die Abbildungsnummern im Farbteil.

HEIDEKRÄUTER IN LANDSCHAFT UND GARTEN

Wo Koniferen im Garten angesiedelt sind, sollten Heidekräuter als wichtige Ergänzung nicht fehlen, denn ein Landschaftsgarten ohne Heidekräuter ist gemeinhin unvorstellbar.

Von allen Gartenpflanzen sind zweifellos Heidekräuter am problemlosesten zu kultivieren, wenn man die Sorten wählt, die den klimatischen Gegebenheiten ihres Standortes am besten angepaßt sind. Sie sind attraktive Bodendecker, die mit ihren vielen Sorten das ganze Jahr über Farbe in den Garten bringen, das Unkraut in Zaum halten und dabei wenig Pflege verlangen.

Welche Abwechslung und Vielfalt bei der Verwendung von Heidekräutern in den Gärten denkbar und möglich sind, erfahren wir aus dem unter dem Titel „Heidekräuter in Landschaft und Garten" in deutscher Übersetzung erschienenen Buch der bekannten englischen Gartenfachleute Brian und Valerie Proudley „Heathers in Colour". Auf 212 Seiten wird alles gebracht, was der Gartenfreund über Heiden wissen muß, wenn er ungetrübte Freude an ihnen haben will.

In besondern Kapiteln werden Pflegemaßnahmen, Bodenansprüche, Schädlinge und Krankheitsbefall sowie deren vorbeugende und nachhaltige Bekämpfung behandelt. Von besonderem Interesse dürften auch die Ausführungen über die verschiedenen Möglichkeiten der Vermehrung von Heiden und über die Zubereitung von Spezialkompost sein.

Im Anschluß an einen 64 Seiten starken Kunstdruckteil mit 141 Farbfotowiedergaben attraktiver Einzelpflanzen, Gartenanlagen und Landschaften folgen die Beschreibungen der Arten und Sorten mit Angaben über deren Ansprüche an Boden und Klima. Ein Blütenkalender bringt eine Übersicht über Blütenfolge und Blütezeiten der wichtigsten Arten, deren Verwendung eine ganzjährige Blütenpracht sichert. Es lohnt sich, Heiden zu pflanzen.

Ihr Buchhändler besorgt Ihnen das Buch, falls er es nicht vorrätig hat, vom

VERLAG J. NEUMANN-NEUDAMM

RAT FÜR JEDEN GARTENTAG

Welcher Gartenfreund möchte nicht wirkliche Freude an seinem Garten empfinden, und wer wollte nicht den Schlüssel zu jeglichem Erfolg in seinem grünen Paradies in der Tasche haben? Solche Wünsche lassen sich heute erfüllen; denn es gibt das Buch von Franz Böhmig „Rat für jeden Gartentag", das uns durch das ganze Gartenjahr führt und Antwort weiß auf alle Fragen.

Da erfahren wir erst einmal ganz allgemein etwas über den Boden, den Anbau, das Klima, die Geräte und Pflegemaßnahmen, und dann geht es mit dem Fortschreiten der Jahreszeit an die Behandlung der für die einzelnen Monate aktuellen Themen; denn das Buch ist in zwölf Abschnitte gegliedert wie das Jahr in Monate. So werden wir immer gerade zur rechten Zeit und auf die prägnanteste Art über alles unterrichtet, was zu tun ist.

Neben allgemeinen Ratschlägen gibt es spezielle für den Gemüsegarten, den Obst-, Zier- und Zimmergarten. Der Autor berät uns beim Kauf von Geräten, beim Bau eines Frühbeetes oder kleinen Gewächshauses, bei der Anlage eines Kinderspielplatzes oder dem Basteln von Nistgelegenheiten. Er hat eine Vielzahl von guten Obstsorten ausgesucht, nennt uns die wichtigsten Schädlingsbekämpfungsmittel, berät uns bei der Behandlung und hilft uns bei der Verhütung von Pflanzenkrankheiten. Er denkt an Pflanzen für Trockenmauern und Wasserbecken, an immergrüne Gehölze und an vergängliche Sommerblumen. Anhand von 45 ausführlichen Pflanz- und Pflegetabellen, Sortenlisten und Arbeitskalendern können wir uns schnelle Überblicke verschaffen.

160 farbige und 300 schwarz-weiße Bilder hervorragender Fotografen zeigen uns, was für Pflanzenschönheiten wir in unserem Garten haben können, und 1600 Zeichnungen von Hans Preuße verdeutlichen, wie es gemacht wird beim Graben, Pflanzen, Bauen, und worauf es besonders ankommt beim Umgang mit Floras Kindern.

Ihr Buchhändler besorgt Ihnen das Buch gern, falls er es nicht vorrätig hat und Sie ihm sagen, wo es zu haben ist, nämlich beim

VERLAG J. NEUMANN-NEUDAMM